Cuisine italienne

Cuisine italienne
© Naumann & Göbel, Cologne
© 2001, Éditions de la Seine pour l'édition française
Imprimé en Espagne
Tous droits réservés
ISBN 2738215300

Cuisine italienne

Les plaisirs de la table

Sommaire

Les régions et leurs produits

Brève incursion
dans les provinces italiennes
et leurs trésors culinaires.

Les provinces italiennes du Piémont à la Sicile

En Italie, le pays de la mer et du soleil, se nourrir n'est pas seulement une nécessité, mais fait partie de la culture et du savoir-vivre. Les cuisines européennes furent d'ailleurs considérablement influencées par l'Italie bien avant que la galette des pauvres paysans napolitains, fasse le tour du monde au rythme des migrations d'Italiens attachés à leur pays et devienne la pizza copieusement garnie que nous connaissons. À l'origine elle était simplement humectée d'un jet d'huile d'olive et couverte de tomates et de fromage. Les Français n'admettent pas facilement aujourd'hui que leur cuisine classique reprit de remarquables éléments italiens grâce au mariage du roi Henri II avec Catherine de Médicis. À mesure que les dynasties européennes s'apparentaient par mariage, les cuisines nationales profitaient de ces liaisons dynastiques.

Mais en Italie même, il existe autant de variétés de Pasta qu'il y a de régions. Les cuisines régionales varient selon les produits cultivés sur place. L'Italie du Nord, opulente région, est connue pour ses riches plats au beurre et à la crème, ses risottos et sa polenta. L'Italie du Sud, plus aride, avec une végétation pauvre et ses habitants plus enracinés dans le terroir, avec un élevage intensif de chèvres et de moutons, est riche en poisson, en fruits de mer et en tomates. L'huile d'olive remplace, dans des apprêts d'une grande simplicité, le beurre et la crème.

Le Val d'Aoste, le Piémont, la Ligurie

Le Val d'Aoste avec ses hautes montagnes, le mont Cervin et le massif du Mont-Blanc est connu pour sa cuisine consistante, qui « tient au corps » avec beaucoup de fromage, de lard, de beurre et de la polenta. On y trouve aussi la plus petite région viticole de l'Italie avec des vins rouges et blancs.

Le Piémont éveille chez le connaisseur l'association de la célèbre truffe blanche ou « tartufo bianco », ce champignon d'apparence insignifiante mais d'un arôme sans pareille qui y est domicilié. C'est aussi dans le Piémont que commence la plus grande culture de riz de l'Italie. Quelques uns des meilleurs vins rouges d'Italie, le Barolo et le Barbaresco, sont situés au sud du paradis de la truffe. Turin, la capitale du Piémont n'est pas seulement connue pour son industrie automobile mais aussi pour ses nombreux excellents vermouths.

La Ligurie, dont la capitale est Gênes, est le pays de nombreuses spécialités culinaires mondialement connues, le pesto, les raviolis et le minestrone. Les délicieux poissons de la Méditerranée y sont aussi appréciés que la morue salée et séchée (stoccafisso), denrée « stratégique » dès le Moyen Âge qui permettait de tenir en cas de siège à terre, et en mer comme provision de voyage sur les bateaux.

La Lombardie, le Trentin, la Vénétie, le Frioul

Ces régions sont le pays des fleuves, des lacs et des montagnes. La Lombardie avec sa capitale Milan est le prolongement de la grande terre de culture du riz, le Piémont. Le riz et l'exploitation de pâturages créent les conditions pour des apprêts riches en beurre et une cuisine fidèle aux nombreuses variétés de risottos. Les variétés de fromage tel que le gorgonzola, le mascarpone ou le bel paese y sont domiciliées et ne manquent à aucun repas. Le Trentin est célèbre pour ses vins et pour sa fameuse eau-de-vie de marc, la grappa. Son climat favorise de nombreuses variétés de fruits et de légumes qui s'y développent somptueusement. Est-ce un hasard que Goethe décrivit le Trentin comme le pays où fleurissent les citronniers ?

La Vénétie, centre d'attrait touristique grâce à Venise, jadis l'une des plus puissantes villes de la Méditerranée orientale, est célèbre pour ses apprêts au riz. Le célèbre plat « Risi e Bisi », riz et petits pois, vient de Venise. Mais d'autres aliments, poisson frais, crustacés, légumes et maïs, souvent transformé en polenta, enrichissent la cuisine régionale. Les vins vénitiens les plus connus sont le valpolicella, le bardolino, le soave ou le prosecco.

Le Frioul fut longtemps sous l'empire de la monarchie austro-hongroise. Trieste était un port maritime stratégiquement important pour les Habsbourg. Les éléments slaves en provenance de Bohême, ainsi que les éléments hongrois de cette cuisine régionale, – l'emploi d'épices telles que le cumin, le raifort ou le paprika – sont l'héritage culinaire de cette alliance. Mais le Frioul est surtout connu pour ses produits de viande de porc notamment pour les jambons dont le jambon de San Daniele avec sa saveur exceptionnelle, ronde et noisetée, est le plus connu.

Émilie-Romagne, Toscane, Ombrie, Marches

Au centre de l'Italie la cuisine est en comparaison simple et consistante. Toutes ces cuisines régionales ont en commun qu'elles soulignent la saveur naturelle des ingrédients et renoncent aux affinements superflus. L'Émilie-Romagne est le jardin d'Eden de l'Italie. Fruits, légumes et céréales y poussent en abondance. Non seulement le célèbre jambon de Parme y est fabriqué, mais aussi la mortadelle, tant appréciée et, comme son nom l'indique, la fameuse sauce classique des spaghettis, la bolognaise, proviennent de la capitale Bologne. Une excellente production animale crée les conditions idéales pour la délicieuse ricotta et le parmesan, consommé ici avec les pâtes faites maison, lasagnes, tortellinis, tagliatelles, les jours de fête.

La cuisine de Toscane est simple et même presque puritaine, mais consistante. L'huile d'olive joue ici le rôle du beurre et le pain de Toscane remplace souvent les pâtes. Les légumineuses et les tomates, ainsi que les apprêts de viande à la poêle y ont une place de choix. Et enfin, l'un des plus célèbres vins italiens, le chianti, est originaire de Toscane.

L'Ombrie a aussi une cuisine rustique. Le gibier, le gibier à plumes, les viandes de porc, de mouton et de chèvre, souvent très relevées, avec des apprêts en brochette sont caractéristiques de cette région. L'Ombrie n'a pas d'accès direct à la mer mais a de nombreux lacs, – le plus grand lac d'Italie, le Lago Trasimeno, y est domicilié – et beaucoup de fleuves qui apportent à la cuisine ombrienne de nombreux poissons d'eau douce à chair savoureuse. Les montagnes ombriennes sont connues pour leurs truffes noires et leurs porcs noirs nourris aux châtaignes, dont la chair est particulièrement savoureuse.

Les Marches sont un paradis pour les amateurs de poisson. Les sardines, les barbeaux et beaucoup de fruits de mer donnent lieu à de délicieux et variés apprêts de poisson frais. Les soupes de poisson de la région côtière valent la peine d'être goûtées.

Latium, Abruzzes

La cuisine du Latium est, en fait, la cuisine de Rome. Elle est plutôt substantielle et simple de goût. De nombreux plats traditionnels se sont conservés. La cuisine typiquement romaine aime employer les mêmes condiments qu'il y a deux mille ans : le pain, l'huile, le saindoux, le lard, les petits poissons salés et les abats. Le poisson et les crustacés n'ont pas la cote, Excepté l'anguille du Tibre. Les Abruzzes fournissent essentiellement les haricots et les châtaignes. Mais cette région est surtout connue pour ses troupeaux de moutons qui

fournissent une chair savoureuse et du lait pour la production de différentes spécialités de fromage.

Molise, Campanie, Basilicate, Pouilles, Calabre

Ces régions forment le Mezzogiorno italien, c'est-à-dire l'ensemble des régions méridionales de l'Italie. Tandis que les pâtes sont au Nord faites à l'œuf, au sud, elles sont uniquement à base de semoule de blé dur. Rigatonis, penne et spaghettis, les pâtes dites sèches, sont caractéristiques du sud de l'Italie. Dans ces régions, les sauces pour les pâtes sont essentiellement à base d'huile d'olive et de tomates.

La Molise, comme les Abruzzes, ont une cuisine simple à base de fruits des champs et de viande de porc, de mouton et de chèvre. Mais on mange, naturellement, aussi du poisson et des crustacés le long de l'étroit bout de côte de la Molise.

La cuisine campanienne jouit de la renommée de sa capitale Naples, mondialement connue pour sa pizza. On trouve en Campanie une variété de pâtes incomparable par rapport aux autres régions italiennes. Les condiments préférés de cette cuisine simple sont les légumes et surtout des variétés de fromage comme la mozzarella ou le provolone.

L'amour des pâtes et du fromage se retrouve dans la voisine Basilicate. Cette région aride et pauvre est connue pour ses produits porcins dont la saveur très fine est due aux herbes aromatiques sauvages dont se nourrissent les porcs. L'utilisation du piment caractérise aussi cette cuisine régionale.

La renommée des Pouilles se fonde sur l'huile d'olive. Certaines variétés de légumes, le poivron, les tomates, les courgettes et les pommes de terre poussent merveilleusement dans cette région fertile. De même que les vignes jouissant d'un ensoleillement permanent donnent des vins rouges

vigoureux et riches.

En Calabre, prédomine la culture des aubergines, des tomates et des citrons. Les connaisseurs apprécient aussi les porcs nourris de châtaignes et de glands, lesquels sont transformés en produits de charcuterie très aromatiques. On trouve, en outre, dans la cuisine calabraise de nombreuses influences orientales amenées par les Arabes.

La Sicile

La Sicile est la plus grande des deux îles italiennes de Méditerranée. Les Perses, les Phéniciens, les Romains et les Arabes laissèrent des traces aussi dans la cuisine. À Palerme, la glace et les petits gâteaux au goût des épices d'Orient font venir l'eau à la bouche. Dans les villages de montagne, on trouve des lentilles, des haricots, des plats de viande de mouton, de bœuf et de porc. À Trapani, on se croirait presque en Afrique du Nord, tant les plats épicés au millet, au safran et aux amandes rappellent cette région voisine. Le marsala provient de la ville du même nom et à Syracuse, comme à Catane, on trouve des tavernes servant les apprêts de pâtes les plus diversifiés. Dans les villages au pied de l'Etna, le visiteur trouvera surtout de l'agneau et du lapin, accompagnés de vigoureux vins en fûts.

La Sardaigne

La Sardaigne est connue pour le pecorino sardo, un fromage traditionnel encore aujourd'hui fabriqué au lait de brebis. Sur la côte, prédominent les plats de poisson dans des apprêts très fins, à l'intérieur des terres les plats plus consistants aromatisés d'herbes du pays, le rôti de marcassin ou le jambon fumé de sanglier, ainsi que la consommation de pain et de produits laitiers.

9

Les pâtes

L'Italie est traditionnellement le pays des pâtes alimentaires. Longues, fines, creuses plates, épaisses, farcies, aux œufs ou nature, elles se font cuire à l'eau salée additionnée d'une goutte d'huile d'olive et sont mangées *al dente*, c'est-à-dire croquantes. Les Italiens n'aiment pas les pâtes trop cuites qui collent au palais. Mais le terme « pâtes alimentaires » est beaucoup trop générique. Voyons ici quelques unes des innombrables variétés de pâtes.

Conchigliettes

Ce sont des petites coquilles souvent utilisées dans les potages.

Farfalles

Ces pâtes présentées en papillon, se trouvent aussi plus petites sous le nom de farfallini.

Fettucines

C'est ainsi que l'on appelle dans le Nord, les larges pâtes plates à cuire.

Fussili

Elles sont en forme de spirale et se mangent à toutes les sauces, dans tous les plats.

Lasagnes

Ces larges rubans lisses ou à bords ondulés sont souvent de couleur verte (au jus d'épinard).

Cannellonis

Ce sont de gros « tuyaux » souvent farcis.

Macaronis

Ce sont des pâtes creuses en forme de tubes de différentes longueurs et de diamètres variés.

Pennes

Elles sont courtes, biaisées, creuses, lisses ou cannelées.

Rigatonis

Ce sont des pâtes creuses et courtes, légèrement nervurées.

Spaghettis

Dans certains pays, il n'est pas poli de couper au couteau ces longs cylindres pleins et très fins. On les enroule autour de sa fourchette tenue par une cuillère. En Italie, les spaghettis ne se mangent qu'à la fourchette.

Tagliatelles

Ces pâtes proviennent d'Émilie-Romagne. Dans le Sud, on nomme ainsi les pâtes en forme de rubans plats de petite largeur, de couleur blond doré ou verte (aux épinards).

Tortellinis

Elles sont faites de petites abaisses de pâte garnies d'une farce de viande, de fromage ou de légumes, repliées et façonnées en anneaux.

Vermicelli

En Italie du Sud, on appelle vermicelles les spaghettis.

Le fromage

Les innombrables spécialités de fromages au lait de brebis, de vache ou de chèvre font autant la renommée de la cuisine italienne que ses pâtes ou sa pizza. Le célèbre parmigiano reggiano n'est pas le seul délice.

Bel Paese. Doux et moelleux, jaune crème, ce fromage de lait de vache est apprécié dans le monde entier.

Caciocavallo. Ce fromage à pâte pressée filée et à croûte naturelle jaune paille a une saveur prononcée, parfois même piquante. Servi en fin de repas, il se consomme également râpé lorsqu'il a durci après un long affinage.

Fontina. Originaire du Val d'Aoste, ce fromage de lait cru de vache a une saveur agréablement bouquetée. La fontina est utilisée notamment dans la fondue piémontaise ; affinée, elle se râpe et s'emploie comme le parmesan.

Gorgonzola. Ce fromage de lait de vache à pâte persillée originaire de Lombardie a une odeur prononcée et, selon son degré d'affinage, une saveur douce, accentuée ou encore piquante.

Grana Padano. Fromage de lait partiellement écrémé de vache à pâte pressée cuite. Il a une texture granuleuse et très dure, et un goût boucané, légèrement rance. En cuisine, il s'emploie souvent râpé.

Manteche. Fromage gras et crémeux à pâte pressée jaune.

Mascarpone. Fromage frais fait à base d'une crème légèrement fermentée. On l'utilise beaucoup en pâtisserie et pour les desserts.

Mozzarella. Fromage à pâte cuite filée, traditionnellement à base de lait de bufflonne, aujourd'hui le plus souvent fait avec du lait de vache.

Parmigiano reggiano. C'est le « Roi des fromages italiens ». Il se sert en fin de repas, mais aussi fraîchement râpé dans de nombreuses préparations culinaires ou pour accompagner les pâtes.

Pecorino. Fromage de lait de brebis à pâte pressée, cuite ou crue. Affiné au moins huit mois, il a une saveur piquante.

Provolone. Fromage de lait de vache souvent fumé. Il se présente sous diverses formes (poire, melon etc.) Il a une saveur douce ou piquante selon sa durée de maturation.

Ricotta. Fromage frais de petit-lait de vache, de brebis ou de chèvre, séparés ou mélangés. Il a une saveur légèrement acidulée et s'emploie surtout en cuisine pour tartiner des canapés, compléter des salades ou confectionner des sauces.

Taleggio. Fromage de lait de vache à pâte pressée non cuite. Il a une odeur affirmée et une saveur fruitée.

La charcuterie

La charcuterie italienne varie extrêmement d'une région à l'autre. Il existe presque pour chaque région une appellation d'origine de salami. Chaque région a sa propre fabrication et ses propres arômes.

Jambon de San Daniele (AO). Jambon cru à la saveur ronde et noisetée du Frioul sud.

Bresaola. Viande de bœuf séchée à l'air, comme la viande des Grisons, mais en provenance de Lombardie.

Mortadelle. Spécialité de Bologne. Gros saucisson cuit à sec, légèrement fumé et aromatisé diversement, à l'origine avec de la myrte, d'où son nom (qui veut dire myrte en italien.) On la truffe aussi de pistaches.

Jambon de Parme. Le jambon le plus célèbre d'Italie. Il vient d'Émilie-Romagne. Sa chaire très fine et très spécifique est un délice culinaire.

Salami. La pâte du salami peut être, selon la région, aromatisée au vin rouge, fumée, épicée de fenouil, de persil ou d'ail, ou relevée d'un hachis de piment.

Les vins et les spiritueux

L'Italie est l'un des plus grands producteurs de vin du monde entier. Les variétés de vins rouges et blancs sont tellement nombreuses que nous n'en citerons que quelques unes. Si votre vin préféré ne figure pas à la liste, continuez à le déguster, ou inspirez-vous de nos propositions.
Les vignerons sérieux s'en tiennent rigoureusement aux directives fixées par l'État sur le règlement de la qualité. La Denominazionne di origine controllata (DOC), mentionnée sur l'étiquette, correspond à notre Appellation d'Origine Contrôlée (AOC.) Elle n'est attribuée qu'aux vins qui respectent scrupuleusement la définition légale et donnent aux produits qui en bénéficient une véritable identité culturelle.

Les vins blancs

Chardonnay. Vin frais du Trentin-Haut-Adige et du Frioul. Il accompagne très bien le poisson et la volaille.

Frascati. Vin renommé, produit dans le Latium, aux portes de Rome. Les frascatis sont secs, moelleux ou mousseux.

Gavi. Vin sec fruité et charnu du Piémont.

Pinot bianco. Vin jaune tendre, forme blanche du célèbre cépage pinot noir de Bourgogne. Souple et nerveux, il accompagne très bien le poisson et la volaille.

Soave. Blanc sec fruité produit en Vénétie, idéal pour accompagner les entrées.

Vernaccia di San Gimignano. Un des vins les plus intéressants de Toscane, rond, moelleux et légèrement noiseté.

Les vins rouges

Barolo. Vin produit dans les collines du Piémont. Provenant du cépage nebbiolo, il est assez puissant.

Barbaresco. Il est issu du cépage nebbiolo, comme le barolo, mais plus léger. Il se caractérise par son fruité et sa finesse.

Valpolicella. Velouté, vif et bouqueté, de couleur rubis et odorant, c'est le meilleur des vins de la Vénétie.

Chianti. Vin légendaire de Toscane, dont les qualités courantes se boivent jeunes. Les meilleurs crus sont depuis peu commercialisés en bouteilles millésimées.

Lambrusco. Vin légèrement mousseux d'Émilie-Romagne, sec et frais agréable à boire en été.

Spiritueux

Vino Santo. Vin de liqueur de Toscane « divin » très apprécié.

Grappa. Eau-de-vie de marc du nord de l'Italie. Les meilleures grappa viennent du Piémont, de Vénétie, du Frioul et du Trentin. On utilise aussi la grappa en cuisine.

Fernet et ramazzoti. Ils font partie de la grande famille des liqueurs de plantes. Il y en a pour tous les goûts : de légères à corsées, de douces à amères.

Sambuca. Liqueur anisée que les Romains boivent avec un nombre impair de grains de café flottant dans le verre après l'avoir fait flamber puis refroidir.

Amaretto. Liqueur au goût d'amande amère.

Galliano. Liqueur élaborée à partir d'un grand nombre d'herbes et de fleurs, de baies et de racines, qui lui donnent un parfum de vanille.

Vinaigre

Le vinaigre balsamique est un vinaigre de vin vieilli longtemps en fûts de bois de châtaignier, de cerisier, de frêne, de mûrier et de genévrier. Il est d'aspect très foncé et de saveur très puissante et ronde. Ses vertus condimentaires et thérapeutiques en font un vinaigre exceptionnel. L'aceto balsamico (son nom en italien) est fabriqué dans la région de Modène depuis près de 1000 ans. La méthode de fabrication est restée inchangée depuis lors. Sa principale substance est le moût.

Huile d'olive

Elle existe au moins depuis le temps des Romains de l'Antiquité. La diététique moderne confirme les vertus curatives de l'huile d'olive, notamment son action positive sur l'estomac, le cœur et la circulation sanguine. Riche et digeste, elle jouit aussi d'une grande réputation gastronomique. Elle est très appréciée dans la cuisine méditerranéenne et supporte d'être chauffée à 200° C. L'huile d'olive peut être vierge extra, vierge ou huile d'olive pure (mélange d'huile vierge et d'huile raffinée.) La meilleure huile d'olive est obtenue par simple pression à froid, dite vierge ou naturelle. Elle garde le goût du végétal. La seconde et la troisième pression fournissent cependant encore des huiles de qualité. L'huile d'olive vierge ou naturelle est plus employée pour les salades, les légumes ou les crudités. L'huile d'olive ne supportant pas la chaleur ni la lumière, elle doit être conservée dans une bouteille au verre foncé et dans un endroit frais.

Entrées
– *Antipasti* –

Manger n'est pas en Italie une nécessité,
mais un plaisir.
Les entrées mettent en appétit
sans assouvir la faim.

Dissoudre la levure dans le lait.

Diviser la pâte en trois portions.

Répartir les ingrédients dans les trois portions.

Crostini à la tapenade

Temps de préparation : 2 heures
Temps de repos : 1 heure
Valeurs nutritionnelles par portion :
44 g P • 44 g L • 112 g G
1141 kcal • 4793 kj

Pour 4 personnes

350 ml de lait
1 cube de levure fraîche
750 g de farine
Sel
1 œuf
100 g de beurre mou
250 g de jambon de Paris
250 g de provolone
2 c. à. s. de fines herbes hachées
200 g d'olives noires
4 gousses d'ail
1 bouquet de persil
4 c. à. s. d'huile d'olive
Poivre fraîchement moulu
2 c. à. s. d'huile aromatisée à l'ail

Faire chauffer le lait et dissoudre la levure dedans. Passer la farine dans un récipient et faire une fontaine au milieu. Répartir le sel, l'œuf et le beurre sur les bords. Verser la préparation laitlevure dans la fontaine et pétrir le tout jusqu'à obtention d'une pâte lisse. Faire lever la pâte pendant une heure. Préchauffer le four à 220° C.

Couper le jambon en dés et râper le fromage. Diviser la pâte levée en trois portions. Pétrir le jambon dans une portion, le fromage râpé dans la seconde portion et les fines herbes dans la troisième portion.

Former avec les trois portions trois boudins et en faire une tresse. Faire lever la tresse pendant 30 min.

Faire cuire la tresse au milieu du four pendant 40 minutes.

Égoutter les olives, puis éplucher l'ail et le presser.

Laver et essuyer le persil et le hacher finement. Faire au robot une purée des olives de l'ail et de l'huile d'olive puis saler, poivrer et épicer.

Laisser refroidir la tresse, puis la couper en tranches. Faire chauffer l'huile aromatisée à l'ail dans une poêle et y faire dorer les tranches de crostini.

Disposer les crostini tartinés de tapenade sur une assiette et servir.

Former trois boudins.

Tresser les boudins.

Croquettes de riz sauce piquante

Temps de préparation : 45 min
Temps de repos : 30 min
Valeurs nutritionnelles par portion :
13 g P • 29 g L • 38 g G • 493 kcal • 2071 kj

Pour 4 personnes

2 œufs
200 g de riz complet cuit
1 c. à. s. de fines herbes ha-
chées (estragon, cerfeuil, pim-
prenelle)
1 pincée de poudre de piment
1 pincée de clous de girofle
moulus
100 g de mozzarella
Chapelure, huile de friture
6 petits piments rouges
1 c. à. s. de cumin
1 gousse d'ail
1 c. à. c. de sel, 4 c. à. s.
d'huile

Battre les œufs et les mélanger au riz, aux herbes et aux épices. Égoutter la mozzarella et la couper en dés d'un cm de grosseur.

Prendre une cuillère à soupe du mélange de riz dans la paume de la main et mettre au milieu 1 dé de fromage. Couvrir le fromage avec une autre cuillère à soupe de riz. Former une boule avec précaution dans les deux paumes de la main et la rouler dans la chapelure. Laisser reposer les boules au réfrigérateur pendant 30 min.

Faire frire les croquettes de riz dans la friture brûlante pendant 5 min et laisser égoutter sur un essuie-tout.

Piler finement les piments, le cumin, l'ail épluché et le sel au mortier, puis faire une sauce avec cette poudre et l'huile. Servir la sauce avec les croquettes.

Garnissez avec des rondelles de concombre et des feuilles de salade.

NOTE DU CUISINIER
L'agent Capsaicin donne au piment sa saveur forte, mais aussi « enragée ». Soyez prudent, ne vous frottez pas les yeux et mettez des gants ou lavez-vous bien les mains après avoir touché les piments.

Petites pizzas surprise

Temps de préparation : 1 heure
Temps de repos : 30 min
Valeurs nutritionnelles par portion :
34 g P • 25 g L • 71 g G • 694 kcal • 2916 kj

Pour 4 personnes

375 g de farine, 1 c. à. c. de sel
1 cube de levure de boulanger
8 c. à. s. d'huile
4 tomates, 100 g de salami
100 g de jambon de Paris
125 g de champignons
200 g d'olives farcies, 1 oignon
½ poivron rouge
½ poivron vert
225 g de cœurs d'artichaut
4 c. à. s. de morceaux
d'ananas, 200 g de mozzarella
1 bouquet de basilic, emmental
et olives pour le dessus

Faire une pâte avec la farine, le sel, la levure, l'huile et 1/8 d'eau tiède. Pétrir et laisser reposer la pâte couverte pendant 30 min.

Laver les tomates, les équeuter et les couper en rondelles.

Couper des lamelles de salami et de jambon. Nettoyer les champignons, les passer sous l'eau et les émincer. Égoutter les olives et les couper également en lamelles.

Éplucher et émincer l'oignon. Laver les poivrons, les épépiner et les couper en dés. Égoutter les artichauts et les couper en petits morceaux. Égoutter l'ananas. Préchauffer le four à 250° C.

Couper la mozzarella en tranches fines. Laver le basilic, le secouer et en détacher les feuilles. Étaler finement la pâte sur un plan de travail fariné. Découper des cercles de 8 cm de diamètre.

Disposer 16 cercles de pâte sur une plaque de four beurrée. Disposer les ingrédients sur les fonds de pizza et les recouvrir d'un couvercle de pâte. Appuyer sur les côtés pour qu'ils ferment bien et mettre au milieu du four pendant 10-15 min. Peu avant la fin de cuisson couvrir les pizzas de fromage et d'olives et les gratiner.

Servir avec une salade composée.

Temps de préparation : 50 min
Valeurs nutritionnelles par portion :

8 g P • 29 g L • 48 g G • 515 kcal • 2163 kj

Pour 4 personnes

250 g de courgettes
1 oignon rouge
3 c. à. s. d'huile
1 c. à. s. de jus de citron
Sel
Poivre fraîchement moulu
poudre de paprika
10 g d'herbes italiennes
250 g de carottes nouvelles
1 c. à. c. de fond de légumes
½ c. à. c. de sucre
2 c. à. s. de vinaigre de fram-
boise
3 c. à. s. d'huile d'olive
2 brindilles d'estragon
1 pita
50 g de beurre aux herbes

Assiette de légumes à l'Italienne

Les légumes frais cuits dans un
bouillon bien relevé sont une
entrée très appréciée. Les
ingrédients varient selon la saison
et la région.

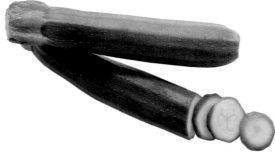

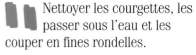 Nettoyer les courgettes, les passer sous l'eau et les couper en fines rondelles.

Éplucher les oignons et les couper également en rondelles. Faire chauffer l'huile dans une poêle et y faire revenir les courgettes et les oignons.

Asperger le tout du jus de citron et saler, poivrer et relever avec la poudre de paprika. Ajouter les herbes.

Nettoyer et éplucher les carottes et les couper à la

julienne. Mélanger dans une casserole 6 cuillères à soupe d'eau au fond de légumes.

Incorporer le sucre et le vinaigre, porter à ébullition et blanchir les carottes pendant 5 min dans ce fond.

Laisser refroidir les carottes dans le fond, puis les égoutter.

Mélanger l'huile aux carottes. Laver l'estragon et en détacher les feuilles.

Répartir l'estragon sur les carottes et laisser macérer pendant 15 min.

Réchauffer le pain dans le four, le rompre en morceaux et étaler le beurre aux herbes dessus. Disposer sur un plat avec les légumes et servir.

NOTE DU CUISINIER

L'entrée est impensable sans pain frais. On peut aussi le tremper dans un peu d'huile d'olive salée et poivrée. Le pain complète toujours bien un plat. En Italie, comme dans de nombreux autres pays méditerranéens, le pain est un élément important du repas et ne manque jamais.

Carpaccio « Emilio » au provolone

Temps de préparation : 40 min
Temps de macération : 30 min
Valeurs nutritionnelles par portion :

18 g P • 30 g L • 2 g G • 376 kcal • 1508 kj

Pour 4 personnes

200 g de filet de bœuf
2 c. à. s. de jus de citron
4 c. à. s. d'huile d'olive
Sel
Poivre fraîchement moulu
100 g de champignons
100 g de provolone
1 oignon blanc

▌▌ Faire légèrement durcir le filet de bœuf au congélateur, puis le couper avec un couteau bien aiguisé en très fines tranches et les disposer sur une assiette.

▌▌ Mélanger le jus de citron et l'huile d'olive et badigeonner les tranches de bœuf avec ce mélange. Laisser macérer la viande couverte pendant 30 min au réfrigérateur.

▌▌ Disposer ensuite joliment les tranches de viande sur des assiettes. Saler et poivrer.

▌▌ Laver les champignons, les brosser et les couper en fines lamelles. Raboter le provolone en fins copeaux. Disposer les champignons et le fromage sur le carpaccio.

▌▌ Laver et ciseler l'oignon blanc. Disposer sur le carpaccio et servir.

NOTE DU CUISINIER
Le carpaccio est l'une des plus remarquables entrées de la cuisine italienne. Elle fut créée dans les années 1970 en hommage pour le célèbre peintre italien Carpaccio (1455/65-1526). Les variations sur le thème du carpaccio sont innombrables. L'une des variantes les plus raffinées se prépare ainsi : couper un magret de canard fumé en fines tranches et les disposer sur une assiette. Faire une vinaigrette avec du vinaigre de framboise, une moutarde douce, de l'huile d'olive et une pincée de sel. Badigeonner la viande de canard et garnir de mâche et de pignons.

Couper le filet en tranches.

Saler et poivrer.

Boules de mozzarella marinées

Temps de préparation : 20 min
Temps de macération : 12 heures
Valeurs nutritionnelles par portion :

7 g P • 34 g L • 4 g G • 370 kcal • 1554 kj

Pour 4 personnes

1 brindille de romarin
1 brindille de thym
3 gousses d'ail
150 g de tomates cerises
50 g d'olives farcies
150 g de mozzarella en boules
Sel
Quelques grains de poivre blanc
2 feuilles de laurier
¼ l d'huile d'olive

Laver les herbes aromatiques et en secouer l'eau restante. Éplucher l'ail. Laver et bien essuyer les tomates.

Détailler les olives en lamelles. Égoutter la mozzarella et mettre tout ensemble dans un bocal avec le sel, les grains de poivre et le laurier.

Couvrir d'huile, fermer le bocal et laisser macérer pendant douze heures. Servir les boules de mozzarella avec du pain et une salade.

Laver les courgettes et les couper en rondelles de la grosseur du doigt. Mélanger la farine, le sel, l'huile, le jaune d'œuf et le vin. Laisser gonfler la pâte pendant 15 min.

Battre les blancs d'œuf très fermes et les incorporer à la pâte. Plonger les rondelles de courgette dans la pâte et les faire dorer dans une friteuse.

Faire un mélange lisse avec le gorgonzola et la crème. Laver, essuyer et ciseler la ciboulette. L'incorporer à la sauce au gorgonzola. Saler et poivrer. Disposer les courgettes et la sauce sur un plat et servir.

Plonger les courgettes dans la pâte.

Beignets de courgette sauce gorgonzola

Temps de préparation : 40 min
Valeurs nutritionnelles par portion :
22 g P • 151 g L • 56 g G •
1778 kcal • 7469 kj

Pour 4 personnes

2 courgettes
300 g de farine
Sel
2 c. à. s. d'huile d'olive
2 jaunes d'œuf
400 ml de chianti
6 blancs d'œuf
300 g de gorgonzola
125 ml de crème
1 botte de ciboulette
Poivre fraîchement moulu
1/4 l d'huile d'olive

Salades, légumes et champignons
– Insalata, verdure e funghi –

Un repas italien est inconcevable
sans salades fraîches et sans légumes
aux couleurs contrastées et agréables à l'œil.
Les champignons frais et les précieuses truffes
donnent aux plats cuisinés à l'Italienne
un caractère particulier.

Couper les queues des artichauts.

Épointer es feuilles d'artichaut.

Égaliser les pointes au ciseau.

Artichauts farcis

Temps de préparation : 1 heure ½
Valeurs nutritionnelles par portion :
10 g P • 44 g L • 33 g G • 597 kcal • 2509 kj

Pour 4 personnes

8 artichauts de 200 g chacun
Sel
3 c. à. s. de jus de citron
2 tranches de pain complet
60 g d'amandes
1 c. à. c. de graines d'anis
1 c. à. c. de graines de fenouil
2 gousses d'ail
7 c. à. s. d'huile d'olive
1 c. à. c. de vinaigre de Xérès
Poivre fraîchement moulu
300 ml de fond de veau
50 g de beurre poivré

Laver les artichauts, couper les queues et épointer les feuilles avec un couteau.

Égaliser les pointes au ciseau, puis faire cuire les artichauts à l'eau bouillante salée pendant 30 min. Ajouter le jus de citron.

Pour la farce, couper le pain en dés. Blanchir les amandes dans l'eau bouillante. Monder et hacher finement les amandes.

Piler l'anis et le fenouil au mortier. Éplucher l'ail et le hacher finement.

Mélanger tous les ingrédients de la farce dans un récipient. Saler et poivrer au gré. Préchauffer le four à 250° C.

Enlever les artichauts de l'eau et les égoutter. Tirer du bout des doigts les feuilles violettes et le fond tendre de l'intérieur de l'artichaut.

Racler à la cuillère les feuilles qui ne se seraient pas détachées en tirant avec les doigts et débarrasser le fond de l'artichaut de son foin. Remplir de farce.

Mettre les artichauts dans un plat allant au four. Verser le fond de veau dans le plat, couvrir et laisser cuire pendant 30 min au milieu du four. Servir les artichauts avec le beurre poivré.

NOTE DU CUISINIER
L'artichaut est le bouton d'une fleur aux feuilles comestibles à la base. Les feuilles d'artichaut se mangent aussi à l'aïoli.

Faire cuire les artichauts.

Enlever les jeunes feuilles violettes.

Poêlée de légumes lombarde

Temps de préparation : 45 min
Valeurs nutritionnelles par portion :

23 g P • 44 g L • 12 g G • 572 kcal • 2404 kj

Pour 4 personnes

250 g de courgettes
400 g de carottes
Sel
250 g de taleggio
Poivre fraîchement moulu
Noix de muscade râpée
½ bouquet de basilic
¼ de bouquet de persil
¼ de bouquet de thym
400 g de crème
2 œufs

Enlever les parties non comestibles des courgettes, les laver et les couper en rondelles. Éplucher les carottes et les blanchir pendant 3 min à l'eau bouillante salée. Les sortir de l'eau bouillante, les passer aussitôt à l'eau froide et bien les égoutter. Préchauffer le four à 200° C.

Couper le taleggio en dés et le disposer dans un plat à gratin beurré en alternance avec les carottes. Saler, poivrer et mettre un peu de noix de muscade sur chaque couche.

Laver les herbes aromatiques, les secouer pour les débarrasser de l'eau restante et les hacher finement.

Mélanger la crème avec les œufs, un peu de sel et les herbes.

Répartir le mélange de crème sur le gratin et faire cuire la poêlée de légumes au milieu du four pendant 25 min.

NOTE DU CUISINIER
Si vous voulez que le régal soit aussi parfait pour l'œil que pour le palais, faites cette poêlée avec des asperges vertes, des asperges blanches et des tomates. Ce « tricolore » accroche le regard et est un repas italien original.

Salade de magret de canard au parmigiano reggiano

Temps de préparation : 30 min
Valeurs nutritionnelles par portion :

19 g P • 44 g L • 11 g G • 559 kca • 2350 kj

Pour 4 personnes

1 magret de canard avec peau
(env. 600 g)
Sel
Poivre fraîchement moulu
3 c. à. s. de beurre clarifié
2 fenouils
2 pommes
4 c. à. s. d'huile d'olive
2 c. à. s. de jus de citron
2 c. à. s. d'orange pressée
100 g de parmigiano reggiano
Feuilles de coriandre en garniture

Laver et essuyer le magret, le saler et le poivrer. Faire blondir le beurre clarifié dans une poêle et y dorer le magret des deux côtés pendant env. 10 min.

Débarrasser les fenouils des parties non comestibles, les laver et les couper en julienne. Laver les pommes, les couper en quatre quartiers, puis en bâtonnets après les avoir épépinées. Mélanger au fenouil.

Mélanger l'huile avec le jus de citron et l'orange pressée. Saler et poivrer le tout. Napper le mélange pomme-fenouil avec cette sauce.

Couper le magret de canard en fines tranches. Disposer les crudités sur un plat, poser les tranches de canard dessus et le parsemer de copeaux de parmigiano. Décorer de feuilles de coriandre et servir.

NOTE DU CUISINIER
Le fenouil est un légume très délicat. Faites attention en l'achetant qu'il soit intact. Le fenouil frais est lisse et ferme et a un éclat velouté. Cette espèce de légumes aromatiques a une teneur élevée en vitamine C et est très digestible.

Temps de préparation : 45 min
Valeurs nutritionnelles par portion :
30 g P • 36 g L • 12 g G • 526 kca • 2209 kj

Pour 4 personnes

350 g d'aubergines
Sel
350 g de courgettes
500 g de tomates
1 bouquet de basilic
3 brindilles de thym
3 gousses d'ail
4 c. à. s. d'huile d'olive
Poivre fraîchement moulu
Beurre pour graisser le plat
200 g de fromage de chèvre en tranches
150 g de pecorino

Gratin d'aubergines et de courgettes

L'aubergine est un fruit ovoïde de saveur assez fade qui doit être toujours bien épicé.

Débarrasser les aubergines des parties non comestibles, les laver et les couper en rondelles. Les faire dégorger 5 min en parsemant la pulpe de gros sel.

Nettoyer les courgettes, les passer sous l'eau et les couper également en fines rondelles. Éponger longuement les aubergines dans du papier absorbant.

Débarrasser les tomates des parties non comestibles et les laver. Faire une incise en forme de croix, les plonger quelques instants dans l'eau frémissante, puis les

passer à l'eau, les peler, les couper en quatre et les épépiner.

Couper les tomates en dés. Laver le basilic, l'égoutter et le hacher finement. Laver le thym, l'égoutter et le hacher finement.

Éplucher l'ail et le hacher finement. Faire chauffer l'huile dans deux poêles, étuver les aubergines dans l'une, les courgettes dans l'autre. Relever en salant et poivrant bien. Préchauffer le four à 200° C.

Étaler du beurre dans le plat à gratin. Couper le fromage de chèvre en dés. Mélanger les dés de tomate avec les herbes et le chèvre.

Disposer successivement dans le plat une couche de courgette, une couche d'aubergines et une couche de tomates. Saler et poivrer.

Râper le pecorino et le répartir sur le gratin. Faire cuire au milieu du four pendant 25 min.

NOTE DU CUISINIER

Un bon marchand de légumes contrôle ses produits. Les aubergines mûres sont élastiques sous une légère pression. Le vert doit être en outre très vert et sa peau lisse et brillante et violet foncé.

Poivrons marinés piémontais

Temps de préparation : 45 min
Temps de macération : 6 heures
Valeurs nutritionnelles par portion :

14 g P • 30 g L • 9 g G • 385 kcal • 1681 kj

Pour 4 personnes

2 poivrons jaunes
2 poivrons rouges
1 bouquet de basilic
¼ de bouquet de persil
1 oignon
2 gousses d'ail
50 g de tomates séchées à l'huile
1 piment rouge
150 ml d'huile d'olive
Sel
Poivre fraîchement moulu
Ciabatta

Débarrasser les poivrons des parties non comestibles, les laver, les couper en deux, les épépiner et les couper en lanières de 3 cm de large.

Faire griller les lanières de poivron pendant env. 10 min, jusqu'à ce que la peau devienne plus foncée et forme des cloques.

Sortir les poivrons du four et les peler. Laver le basilic, en secouer l'eau restante et le ciseler.

Éplucher l'oignon et le couper en dés. Éplucher et presser l'ail.

Égoutter les tomates et les hacher finement. Parer le piment, le laver et le hacher finement. Mélanger l'oignon, l'ail, les tomates et le piment à l'huile. Enrouler les filets de poivrons sur eux-mêmes et les embrocher sur des bâtonnets en bois.

Disposer tous les ingrédients dans un récipient plat. Saler et poivrer, puis laisser mariner pendant six heures. Servir avec le pain.

Enrouler les filets de poivrons sur eux-mêmes.

Disposer les ingrédients dans un récipient plat.

Les champignons s'accompagnent d'un apéritif légèrement amer comme le campari ou l'apérol, légèrement plus doux. Servir ces boissons avec de l'eau de Seltz et des glaçons afin d'en conserver le goût amer.

Champignons gratinés

Temps de préparation : 30 min
Valeurs nutritionnelles par portion :

40 g P • 52 g L • 4 g G • 700 kcal • 2941 kj

Pour 4 personnes

16 gros champignons de Paris bistres
Sel
Poivre fraîchement moulu
2 oignons
2 gousses d'ail
2 c. à. s. d'huile d'olive
500 g de viande hachée mélangée (porc et bœuf)
1 c. à. s. d'herbes aromatiques hachées (basilic, persil et origan)
1 c. à. s. de moutarde douce
300 g de mozzarella

Laver les champignons, enlever la base terreuse et ôter les pieds. Saler et poivrer les chapeaux. Réserver.

Hacher finement les pieds. Éplucher les oignons et l'ail et les hacher finement. Les faire étuver dans l'huile bouillante avec les pieds de champignons. Préchauffer le four à 200° C.

Ajouter la viande hachée et la faire revenir avec les pieds de champignons. Saler, poivrer et relever avec les herbes et la moutarde. Farcir les chapeaux avec le mélange de viande hachée et les

placer sur une plaque de four.

Faire cuire au milieu du four pendant 15 min.

Égoutter la mozzarella et la couper en tranches. Au bout de 10 min de cuisson des champignons, couvrir chacun d'eux d'une tranche de mozzarella et laisser gratiner 5 min.

NOTE DU CUISINIER
Ce plat peut s'affiner en prenant à la place des champignons de Paris de petits cèpes que l'on creuse avec précaution pour les farcir. Le goût des cèpes est bien plus aromatique.

■■ Laver les tomates, en retirer le pédoncule et les détailler en rondelles.

■■ Égoutter la mozzarella et la détailler en fines lamelles. Laver le basilic, le secouer et l'effeuiller.

■■ Répartir sur un plat les rondelles de tomates comme des tuiles se chevauchant et les recouvrir des lamelles de fromage.

■■ Faire une sauce avec l'huile et le citron, saler, poivrer et verser sur la salade.

■■ Garnir d'une rosette de tomate et d'olives noires et servir.

NOTE DU CUISINIER
Le basilic, dont les feuilles ont une saveur prononcée de citron et de jasmin, condimente de nombreux plats de la cuisine méridionale et se marie avec bien d'autres herbes aromatiques comme la sauge et le romarin.

Répartir les rondelles de tomates comme des tuiles chevauchant.

Salade de tomates « Caprese »

Temps de préparation : 20 min
Valeurs nutritionnelles par portion :

11 g P • 97 g L • 6 g G •308 kcal • 1294 kj

Pour 4 personnes

600 g de tomates
200 g de mozzarella
2 bouquets de basilic
5 c. à. s. d'huile d'olive 2 c. à. s. de jus de citron
Sel, poivre fraîchement moulu
Olives noires et 1 tomate en garniture.

Essuyer les champignons au pinceau.

Couper les cèpes en quatre.

Couper les girolles en morceaux.

Salade de champignons chaude à la Lombarde

Temps de préparation : 40 min
Valeurs nutritionnelles par portion :
5 g P • 26 g L • 14 g G • 392 kcal • 1383 kj

Pour 4 personnes

400 g de cèpes
200 g de girolles
200 g de pleurotes
1 piment rouge
1 gousse d'ail
1 bouquet de persil
10 c. à. s. d'huile d'olive
Sel
Poivre fraîchement moulu
2 c. à. s. de jus de citron
350 g de roquette
2 c. à. s. de vinaigre balsamique
1 c. à. s. de miel de forêt

Essuyer les champignons au pinceau et les parer, couper les cèpes en quatre puis les émincer.

Couper en deux les grosses girolles et les pleurotes en morceaux. Parer, laver et hacher le piment.

Éplucher et hacher la gousse d'ail. Laver et bien éponger le persil, et le couper en lamelles.

Faire chauffer 8 cuillères à soupe d'huile d'olive dans une poêle et y faire étuver les champignons. Ajouter le piment, l'ail et le persil. Saler, poivrer et condimenter avec le jus de citron. Faire dégorger le tout environ 4 min.

Parer, laver, essorer la roquette et couper le bout des tiges. Mélanger dans un bol, le vinaigre, l'huile restante et le miel. Saler et bien poivrer.

Mélanger la roquette et la sauce de salade. Retirer les champignons de la poêle et les laisser égoutter.

Garnir quatre assiettes de roquette y répartir les champignons et servir.

NOTE DU CUISINIER
Utilisez toujours pour cette salade des champignons frais qui, seuls, ont la saveur requise.

Couper les pleurotes en morceaux.

Hacher le piment.

Aubergines farcies à l'Italienne

Temps de préparation : 45 min
Valeurs nutritionnelles par portion :

38 g P •	24 g L •	86 g G •	740 kcal •	3192 kj

Pour 4 personnes

4 aubergines de 250 g
Sel, deux oignons rouges
3 gousses d'ail
100 g de jambon de Parme
300 g de tomates
½ bouquet de basilic
½ bouquet de persil
2 brindilles d'origan
3 c. à. s. d'huile d'olive
50 g de concentré de tomates
50 g de chapelure
3 c. à. s. de crème aigre
Beurre pour beurrer le plat
125 g de fromage italien à pâte pressée cuite

Parer et laver les aubergines et les couper en deux dans le sens de la longueur, puis les faire blanchir 5 min dans une eau légèrement salée.

Les sortir de l'eau et les laisser égoutter. Pendant ce temps éplucher les oignons et les couper en dés.

Éplucher et presser les gousses d'ail. Couper de fines lamelles de jambon. Parer et laver les tomates, les entailler en croix, les plonger dans l'eau frémissante et les passer aussitôt à l'eau froide. Les peler et les couper en dés.

Laver les herbes, les secouer et les couper. Préchauffer le four à 180° C.

Faire chauffer l'huile dans une poêle et faire étuver les oignons avec l'ail, le jambon, les tomates et les herbes.

Incorporer à ce mélange le concentré de tomates, la chapelure et la crème aigre. étaler cette purée sur chaque moitié d'aubergine. Beurrer un plat allant au four.

Mettre les aubergines dans le plat. Couper le fromage en minces tranches et le répartir sur les aubergines. Faire gratiner pendant 8 min au milieu du four.

Salade composée au fromage et aux raisins

Temps de préparation : 15 min
Valeurs nutritionnelles par portion :

16 g P •	29 g L •	20 g G •	430 kcal •	1807 kj

Pour 4 personnes

500 g de laitues variées (par ex. lollo bianca, feuille de chêne, iceberg) et de mâche
250 g de courgettes
100 g de pain blanc italien
2 c. à. s. de beurre
200 g de taleggio
100 g de raisins noirs
1 c. à. s. de moutarde
Sel
Poivre fraîchement moulu
3 c. à. s. de vinaigre balsamique
6 c. à. s. d'huile d'olive

Laver, essorer et couper les salades.

Parer et laver les courgettes puis les couper en rondelles d'égale épaisseur.

Couper le pain en petits dés. Faire blondir le beurre et y étuver les courgettes quelques minutes. Laisser refroidir et griller le pain dans le reste de beurre.

Couper le fromage en bâtonnets, parer et laver le raisin.

Faire une vinaigrette avec la moutarde pour la salade et servir après l'avoir remuée avec les croûtons de pain grillé.

NOTE DU CUISINIER
Les salades fermes sont plus adaptées à cette recette. Mais qui aime le goût prononcé de noisette de la roquette, peut utiliser cette salade avec des herbes sauvages.

Temps de préparation : 1 h ½
Temps de macération : 10 min
Valeurs nutritionnelles par portion :

29 g P • 13 g L • 36 g G • 420 kcal • 1765 kj

Pour 4 personnes

60 g de raisins secs
6 c. à. s. de Xérès
100 g de chapelure
1,5 kg d'épinards
2 oignons rouges
6 c. à. s. d'huile d'olive
2 gousses d'ail
100 g de pecorino
2 œufs
1 c. à. s. de farine
20 g de pignons
Sel
Poivre fraîchement moulu
Noix de muscade fraîche
Beurre pour le plat

Gratin d'épinards à l'Italienne

Les pignons sont extraits de la pigne (pomme de pin) du pin parasol (ou pin pignon). Entouré d'une coque dure, le pignon (ou pignole, dans le Midi) est logé entre les écailles du cône. Son goût rappelle celui de l'amande, bien qu'il soit parfois plus résineux et plus corsé.

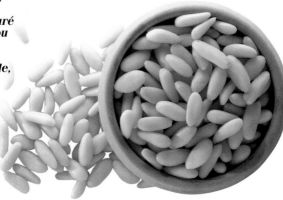

Verser le Xérès sur les raisins secs et laisser macérer en couvrant pendant 10 min.

Faire griller la chapelure sans graisse dans une poêle et laisser refroidir.

Laver les épinards et bien les égoutter. Éplucher les oignons et les hacher finement.

Faire chauffer 3 cuillères à soupe d'huile d'olive dans une poêle et y faire étuver les épinards avec les oignons. Éplucher et presser ensuite les gousses d'ail et les ajouter.

Faire revenir le tout pendant 3 min, puis faire refroidir sur une passoire.

Râper le pecorino et le mélanger avec les œufs, la farine, les raisins égouttés et les pignons.

Saler, poivrer et assaisonner de noix de muscade. Beurrer un plat rond ou ovale allant au four.

Parsemer deux tiers de la chapelure au fond du plat et sur les bords.

Mettre les épinards au fond du plat et répartir le mélange de fromage dessus. Verser le restant d'huile et couvrir de ce qu'il reste de chapelure.

Faire gratiner au milieu du four pendant une heure et servir aussitôt.

Salade de bœuf « Abruzzo »

Temps de préparation : 30 min
Temps de macération : 2 heures
Valeurs nutritionnelles par portion :

17 g P • 16 g L • 4 g G • 261 kcal • 1098 kj

Pour 4 personnes

300 g de filet de bœuf
2 gousses d'ail
100 ml de vin rouge
2 feuilles de laurier
1 c. à. c. de thym séché
1 c. à. c. de coriandre séchée
1 c. à. c. de plusieurs variétés
de poivre moulu
(blanc, noir, vert, rose)
2 oignons
6 c. à. s. d'huile d'olive
150 g de salade (lollo bianca)
3 oignons blancs
2 piments rouges
3 c. à. s. de vinaigre balsamique
Sel, Poivre fraîchement moulu

Laver et essuyer la viande dans un papier absorbant et la tailler en fines tranches.

Éplucher les gousses d'ail et les presser. Mélanger l'ail et le vin rouge. Ajouter le laurier, le thym, la coriandre et toutes les variétés de poivre.

Mettre la viande dans la marinade et laisser macérer 2 heures. Puis la sortir et la sécher un peu dans du papier absorbant.

Éplucher les oignons et les couper en rondelles. Faire chauffer 3 cuillères à soupe d'huile dans une poêle et y faire revenir la viande et les oignons.

Entre temps laver, essorer et couper la salade. Parer, laver et couper les oignons blancs en rondelles. Parer, laver et hacher finement les piments rouges.

Faire une vinaigrette avec le vinaigre balsamique et le reste d'huile. Saler et poivrer. Assaisonner le mélange de lollo bianca, de piments et d'oignons blancs avec la sauce.

Retirer la viande de la poêle et l'ajouter aux autres ingrédients de la salade. Dresser sur quatre assiettes et servir.

NOTE DU CUISINIER
Les oignons blancs ont une saveur plus douce mais sont aussi aromatiques que leurs homologues ronds. On utilise aussi le vert qui est particulièrement aromatique et très décoratif.

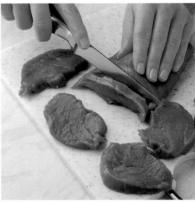
Tailler la viande en fines tranches.

Retirer la viande.

Soupes et minestre – Zuppa e minestre –

La tradition veut que les soupes et les juliennes les
plus savoureuses mijotent longtemps
et soient servies comme entrée chaude.
Elles sont aussi consommées comme plat principal.

BOISSON CONSEILLÉE

Le Haut-Adige est connu pour ses vins rouges vigoureux. Lisez bien l'étiquette en achetant le vin et veillez à prendre une appellation d'origine contrôlée, en italien DOC (Denominazione di origine controllata), la qualité du vin sera garantie.

Julienne de légumes du Haut-Adige

Temps de préparation : 45 min
Valeurs nutritionnelles par portion :

25 g P • 11 g L • 46 g G • 423 kcal • 1776 kj

Pour 4 personnes

300 g de viande hachée de bœuf
Sel
Poivre fraîchement moulu
50 g de parmigiano reggiano râpé
200 g de carottes
200 g de petits pois (surgelés)
200 g de haricots verts
100 g de chou-fleur
800 g de pommes de terre
2 c. à. s. d'huile d'olive
500 ml de bouillon de bœuf
30 g d'herbes italiennes hachées

 Pétrir la viande hachée avec le sel, le poivre et le fromage et former des boulettes.

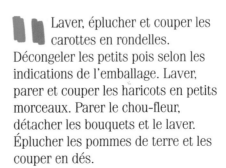 Laver, éplucher et couper les carottes en rondelles. Décongeler les petits pois selon les indications de l'emballage. Laver, parer et couper les haricots en petits morceaux. Parer le chou-fleur, détacher les bouquets et le laver. Éplucher les pommes de terre et les couper en dés.

Faire chauffer l'huile dans une casserole et étuver les légumes quelques minutes. Saler, poivrer et verser le bouillon de bœuf.

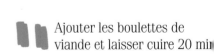 Ajouter les boulettes de viande et laisser cuire 20 min.

Peu avant la fin de la cuisson, incorporer les herbes à la soupe et servir.

NOTE DU CUISINIER
Le vert intense des petits pois est naturel, pas artificiel. Les petits pois frais écossés sont blanchis avant d'être surgelés afin d'éviter des pertes de saveur et de vitamines.

Parer, laver et couper le fenouil en lanières. Le faire cuire dans l'eau salée bouillante pendant 10 min. Bien égoutter.

Faire fondre le beurre, ajouter la farine et faire un roux blanc. Le mouiller avec la crème et le bouillon de légumes et porter à ébullition sans cesser de remuer.

Faire fondre le fromage dans la soupe. Ajouter les lanières de fenouil et la purée de marrons.

Couper des lanières de jambon. Répartir la soupe sur les assiettes, parsemer de jambon, garnir avec l'aneth et servir.

NOTE DU CUISINIER
La purée de marrons se trouve en boîte, mais vous pouvez aussi la faire vous-même. Inciser les marrons sur le côté plat, les faire bouillir, les éplucher et les réduire en purée.

Couper le fenouil en lanières.

Soupe au fenouil « Fontina »

Temps de préparation : 35 min
Valeurs nutritionnelles par portion :
26 g P • 58 g L • 51 g G • 874 kcal • 3671 kj

Pour 4 personnes

400 g de fenouil
Sel
4 c. à. s. de beurre
2 c. à. s. de farine
400 g de crème fraîche
500 ml de bouillon de légumes
120 g de fontina
400 g de purée de marrons
150 g de jambon cru
Aneth pour la décoration

Étêtez le poisson.

Glissez le couteau le long de l'arête.

Lever le filet.

Soupe de poissons fin gourmet « Susanne »

Temps de préparation : 2 h
Valeurs nutritionnelles par portion :
71 g P • 13 g L • 11 g G • 552 kcal • 2319 kj

Pour 4 personnes

1,5 kg de perche de mer
3 c. à. s. de jus de citron
250 ml de vin blanc sec
2 oignons
2 feuilles de laurier
1 brindille de thym
3 brindilles d'origan
¼ de bouquet de basilic
½ c. à. c. de grains de poivre noir
300 g de céleri rave en dés
250 g de poireau coupé en rondelles
2 tomates coupées en dés, sel
Poivre fraîchement moulu
Herbes pour la garniture

Laver, essuyer et habiller le poisson. L'ébarber en coupant d'abord les nageoires dorsales, puis la nageoire caudale au ciseau.

L'écailler en remontant le dos d'un couteau ou un écailleur du bout de la queue à la tête.

Relaver et essuyer le poisson dans un papier absorbant. L'inciser avec la pointe d'un couteau et ouvrir le ventre de la queue à la tête.

Couper la tête en biais derrière les branchies et vider le poisson avec précaution. Passer le ventre vide à l'eau froide.

Fileter le poisson en faisant remonter un couteau de la tête vers la queue le long de l'arête centrale, et lever peu à peu le filet. Couper des dés de filet et les citronner.

Mettre la tête et les arêtes dans une casserole avec le vin blanc et 1 l d'eau. Éplucher les oignons, les couper en quartiers et les ajouter avec les herbes lavées. Cuire pendant env. une heure à feu doux, puis passer le court-bouillon.

Mettre le céleri, le poireau, les tomates et les morceaux de poisson dans le court-bouillon et laisser macérer 15 min à feu doux.

Saler, poivrer et rajouter du citron si nécessaire. Dresser sur les assiettes et garnir avec des herbes.

Faire un court-bouillon.

Ajouter les légumes.

Soupe à l'oignon « Cipolline »

Temps de préparation : 40 min
Valeurs nutritionnelles par portion :

12 g P • 12 g L • 23 g G • 358 kcal • 1506 kj

Pour 4 personnes

3 gros oignons
3 gousses d'ail
3 c. à. s. d'huile d'olive
¼ l de vin blanc
½ l de bouillon de légumes
2 c. à. s. de jus de citron
Sel
Poivre fraîchement moulu
Piment rouge en poudre
4 tranches de pain blanc toasté
200 g de pecorino râpé
Herbes pour la décoration

Éplucher et émincer les oignons. Éplucher et hacher finement l'ail.

Faire chauffer l'huile dans une casserole et les faire étuver. Ajouter le vin et le bouillon de légumes et laisser mijoter en couvrant pendant env. 10 min. Assaisonner la soupe avec le citron, le sel, le poivre et le piment. Préchauffer le four à 250° C.

Couper des tranches de pain. Répartir la soupe dans quatre tasses respectivement surmontées d'une tranche de pain. Couvrir de fromage et faire gratiner au milieu du four pendant 15 min. Garnir d'herbes et servir.

NOTE DU CUISINIER
Pour éplucher les oignons sans désagrément, il suffit de procéder à cette opération sous l'eau froide ou de les ébouillanter auparavant une minute.

Soupe de potiron à la marjolaine

Temps de préparation : 30 min
Valeurs nutritionnelles par portion :

8 g P • 19 g L • 10 g G • 251 kcal • 1057 kJj

Pour 4 personnes

800 g de potiron
2 tranches de jambon de montagne tyrolien
50 g de beurre
2 c. à. s. de jus de citron
½ l de bouillon de légumes
1 bouquet de marjolaine
Sel
Poivre fraîchement moulu
1 pincée de safran
2 c. à. s. de graines de courge

Couper le potiron en quatre, l'éplucher, le débarrasser de ses graines et de ses filaments et couper la chair en morceaux. Couper des lamelles de jambon.

Faire blondir le beurre dans une casserole et y étuver le potiron et le jambon. Laisser mijoter 5 min. Sortir le jambon.

Citronner le potiron et mouiller avec le bouillon de légumes. Laisser mijoter encore 15 min.

Entre-temps laver la marjolaine, la secouer et en détacher les feuilles. Réserver.

Réduire la soupe en velouté au mixeur. Assaisonner avec le sel, le poivre et le safran. Incorporer le jambon.

Dresser la soupe sur des assiettes et servir avec les feuilles de marjolaine et les graines de courge.

NOTE DU CUISINIER
Il existe plusieurs variétés de potirons dont une qui peut peser jusqu'à 100 kg. La pulpe est jaune ou orangée sous une écorce jaune orange ou verte. Il suscite peu d'intérêt gastronomique, ce qui est un tort, car sa chair juteuse, douce et savoureuse se marie bien avec des condiments de saveur plus prononcée.

Temps de préparation : 45 min
Valeurs nutritionnelles par portion :
19 g P • 16 g L • 50 g G • 487 kcal • 2048 kj

Pour 4 personnes

250 g de petits pois surgelés
2 poivrons rouges
2 oignons
2 c. à. s. de beurre
Sel
Poivre fraîchement moulu
Piment rouge en poudre
8 c. à. s. de semoule de maïs
(polenta)
200 ml de vin blanc
500 ml de bouillon de légumes
250 g de salami milanese
1 botte de ciboulette
4 tranches de baguette
100 g de parmigiano reggiano
raboté

Soupe de poivron et de petits pois avec salami

Le salami milanese est une variété de salami très relevée et très aromatisée qui donne à la soupe une saveur particulière.

▌▌ Décongeler les petits pois en suivant les instructions de l'emballage. Parer, laver et couper les poivrons en deux. Les épépiner et les couper en julienne.

▌▌ Entre-temps couper des rondelles de salami. Laver, secouer et ciseler la ciboulette.

▌▌ Incorporer la semoule de maïs aux légumes et mouiller avec le vin et le bouillon de légumes. Laisser mijoter env. 7 min.

▌▌ Éplucher les oignons et les couper en dés. Faire blondir

le beurre dans une casserole et y
étuver les oignons et les poivrons.
Saler, poivrer et épicer avec le piment. Préchauffer le four à 200° C.

Étaler le parmigiano reggiano
sur les tranches de pain et les
faire gratiner au milieu du four
pendant env. 8 min.

Ajouter les petits pois et le
salami à la soupe et laisser
mijoter le tout encore 2 min. Dresser
la soupe sur des assiettes, y poser
les tranches de pain et parsemer de
ciboulette.

Minestrone

Temps de préparation : 40 min
Valeurs nutritionnelles par portion :

16 g P • 9 g L • 32 g G • 296 kcal • 1245 kj

Pour 4 personnes

**1 paquet de légumes à
pot-au-feu
1 oignon
1 gousse d'ail
300 g de chou de Milan
200 g de pommes de terre
1 courgette
200 g de haricots blancs
2 c. à. s. d'huile d'olive
500 ml de bouillon de légumes
Sel
Poivre fraîchement moulu
Paprika en poudre
150 g de petites pâtes à
soupes
200 g de petits pois surgelés
1 bouquet de persil
50 g de parmigiano reggiano**

Parer et laver les légumes à pot-au-feu et les couper en morceaux. Éplucher les oignons et les couper en dés. Éplucher l'ail et le hacher finement.

Parer le chou, le débarrasser des feuilles extérieures et le couper en julienne. Laver les pommes de terre et les couper en dés.

Parer et laver la courgette et la couper en deux dans le sens de la longueur. Faire égoutter les haricots blancs.

Faire chauffer l'huile dans une casserole et y faire étuver les légumes à pot-au-feu, les oignons, l'ail, les pommes de terre, le chou et la courgette.

Mouiller avec le bouillon de légumes, saler, poivrer et épicer de poudre de paprika. Ajouter les pâtes.

Cuire la soupe couverte pendant 20 min à feu moyen. Ajouter les petits pois peu avant la fin de la cuisson et les faire juste réchauffer.

Laver le persil, le secouer, le hacher finement et l'ajouter à la soupe. Raboter le parmigiano reggiano.

Dresser la soupe sur des assiettes et servir avec les copeaux de parmigiano en décoration.

Débarrasser le chou des feuilles extérieures.

Couper le chou en julienne.

BOISSON CONSEILLÉE

Le prosecco, cette boisson vénitienne jaune d'or légèrement amère, se marie très bien avec les consommés. Si vous préférez une boisson plus légère, prenez le prosecco spumante, un excellent vin blanc mousseux.

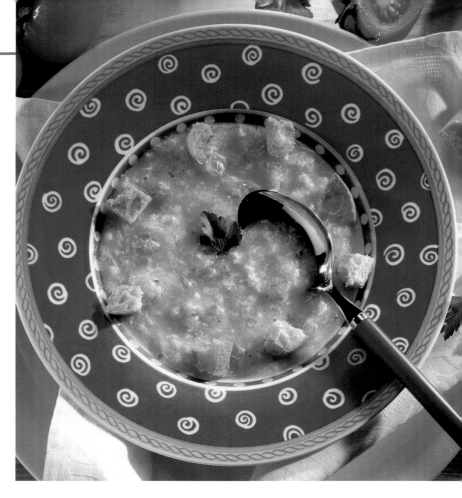

Consommé de volaille ligurien

Temps de préparation : 30 min
Valeurs nutritionnelles par portion :
16 g P • 10 g L • 13 g G • 231 kcal • 973 kj

Pour 4 personnes

1 l de bouillon de poule
2 c. à. s. de semoule de maïs
(polenta)
3 œufs
100 g de pecorino
1 c. à. s. de persil haché
Sel, 2 tomates, 1 ciabatta

Porter le bouillon à ébullition, y faire ruisseler la semoule et laisser gonfler pendant 5 min.

Battre les œufs. Râper le pecorino. Mélanger les œufs avec 2/3 du persil et le fromage et saler.

Verser aussitôt les œufs dans le bouillon et ne pas cesser de remuer jusqu'à ce que le mélange soit lié.

Entailler les tomates en croix, les ébouillanter quelques minutes puis les passer à l'eau froide et les peler.

Les couper ensuite en gros dés et les ajouter à la soupe.

Casser le pain en dés. Répartir la soupe dans des ramequins, y ajouter les dés de pain, parsemer de persil et servir.

NOTE DU CUISINIER
En Italie, les consommés sont toujours servis chauds, hiver comme été. En revanche, en été, les soupes de légumes ou de pâtes sont servies tièdes, additionnées au moment de servir d'un jet d'huile d'olive.

Couper les petits pains en tranches fines puis les casser en petits morceaux.

Éplucher les oignons et les couper en dés. Éplucher les gousses d'ail et les hacher finement.

Faire chauffer l'huile dans une casserole et y faire dorer les bouts de pain. Ajouter les oignons, l'ail et les herbes.

Saler, poivrer et rectifier l'assaisonnement si nécessaire. Incorporer le concentré de tomates et mouiller avec le vin rouge.

Ajouter les tomates en boîte et le fond de veau. Laisser mijoter la soupe à feu doux pendant 7 min.

Dresser la soupe sur les assiettes, saler et poivrer si nécessaire et assaisonner de vinaigre. Servir la soupe garnie de crème fraîche, de parmigiano reggiano et d'herbes aromatiques.

Faire dorer les bouts de pain.

Soupe de tomates à la paysanne

Temps de préparation : 40 min
Valeurs nutritionnelles par portion :

6 g P • 28 g L • 10 g G • 342 kcal • 1436 kj

Pour 4 personnes

**2 petits pains de la veille
2 oignons rouges
2 gousses d'ail
4 c. à. s. d'huile d'olive
2 c. à. s. d'herbes aromatiques
italiennes
Sel
Poivre fraîchement moulu
2 cuillères à café de concentré
de tomates
4 c. à. s. de vin rouge sec
1 boîte de tomates pelées
(poids net 428 g)
250 ml de fond de veau
Vinaigre de vin rouge
Crème fraîche
3 c. à. s. de parmigiano
reggiano râpé
Herbes aromatiques**

Pizza, pâtes et risotto
– Risotto, Pasta, Gnocchi, Risotto

Des mets populaires et excessivement simples
firent le tour du monde au rythme des migrations
d'Italiens et sont aujourd'hui des spécialités
culinaires dignes de ce nom.
Vive la créativité italienne !

Tamiser la farine sur le plan de travail.　　Former une fontaine au milieu.　　Incorporer le levain.

Pizza légumes, poisson, fromage

Temps de préparation : 45 min
Temps de repos : 30 min
Valeurs nutritionnelles par portion :
50 g P • 30 g L • 120 g G •
1014 kcal • 4259 kj

Pour 4 personnes

**400 g de farine de froment
(Type 405)**
½ cube de levure de boulanger
Sel
**Huile d'olive pour la plaque
du four**
**200 g de purée de tomates
aux herbes italiennes**
poivre fraîchement moulu
**100 g de champignons
de Paris**
2 gousses d'ail
½ bouquet de persil
½ bouquet de basilic
200 g de jambon de Parme
**100 g de bouquets de
brocoli cuits**
100 g d'olives noires
**100 g de poivrons marinés
à l'huile**
**100 g de bâtonnets de
courgette cuite**
100 g d'anneaux de poireau
100 g de crevettes cuites
400 g de mozzarella

Tamiser la farine sur le plan de travail. Former une fontaine au milieu. Diluer la levure dans 200 ml d'eau tiède.

Verser le levain dans la fontaine. Ajouter ½ cuillère à café de sel et pétrir jusqu'à obtention d'une pâte lisse. En faire une boule et la laisser doubler de volume dans une jatte, à couvert et au chaud.

Entre-temps huiler la plaque du four à l'huile d'olive. Saler et poivrer la purée de tomates et préchauffer le four à 250° C.

Parer, laver et émincer les champignons. Éplucher l'ail et le presser. Laver, sécher et ciseler les fines herbes. Couper le jambon en lamelles.

Faire égoutter les olives et les poivrons à l'huile. Abaisser la pâte aux dimensions de plaque du four sur une surface farinée et foncer la plaque. Enduire la pâte de purée de tomates.

Répartir sur ¼ de la pâte les champignons, l'ail et le jambon, sur le deuxième quart les olives et les poivrons, sur le troisième quart le brocoli et la courgette et sur le dernier quart le poireau et les crevettes. Parsemer de fines herbes.

Couper le fromage en tranches et l'étaler sur la pizza. Cuire au milieu du four pendant 20 min.

Faire une boule.

Abaisser la pâte.

Risotto
« Grana Padano »

Temps de préparation : 35 min
Valeurs nutritionnelles par portion :

4 g P • 9 g L • 31 g G • 263 kcal • 1107 kj

Pour 4 personnes

1 oignon
25 g de lard maigre
3 c. à. s. de beurre
125 g de courgettes
250 g de riz Arborio
125 ml de vin rouge
2 tomates
500 ml de bouillon de veau
3 c. à. s. de grana padano
(parmesan) râpé
1 c. à. s. de ciboulette ciselée
1 tomate en garniture

Éplucher et couper les oignons en dés. Couper également le lard en petits dés et les faire fondre dans une poêle. Ajouter 1 cuillère à soupe de beurre et les oignons.

Parer, laver et couper les courgettes en dés. Mettre le riz et les courgettes dans la poêle et faire étuver le tout pendant 2 à 3 min.

Mouiller avec le vin rouge. Entailler les tomates en croix, les ébouillanter, les peler et les réduire en purée. Ajouter toute la préparation au riz. Laisser s'évaporer le liquide en ne cessant de remuer.

Faire chauffer le bouillon et le verser par petites quantités sur le riz de manière à ce qu'il soit toujours juste couvert. Finir de cuire le riz pendant 15 min.

Incorporer à la fin le fromage et le reste du beurre au riz et servir parsemé de ciboulette et garni d'une rosette de tomate.

NOTE DU CUISINIER
L'Italie est le seul pays occidental ayant une aussi grande variété de plats de riz. Les propriétés du riz sont importantes pour décider de la variété à choisir selon le plat. Les variétés les plus connues pour le risotto sont l'Arborio et le Vialone.

Tagliatelles au gorgonzola

Temps de préparation : 25 min
Valeurs nutritionnelles par portion :

26 g P • 37 g L • 47 g G • 665 kcal • 2795 kj

Pour 4 personnes

250 g de tagliatelles vertes
Sel
1 oignon
1 c. à. s. de beurre
200 g de crème
Poivre fraîchement moulu
150 g de gorgonzola
150 g de saumon fumé
1 c. à. s. de ciboulette ciselée

Cuire les pâtes pendant 15 min *al dente* dans de l'eau salée. Éplucher l'oignon et le détailler en petits dés.

Faire blondir le beurre et y faire étuver l'oignon. Ajouter la crème et laisser légèrement réduire. Saler et poivrer.

Couper le gorgonzola en morceaux et le faire fondre dans la crème. Détailler le saumon en lamelles et l'ajouter à la sauce.

Égoutter les pâtes et dresser avec la sauce. Servir parsemé de ciboulette.

Temps de préparation : 45 min
Valeurs nutritionnelles par portion :

37 g P • 63 g L • 41 g G • 948 kcal • 3981 kj

Pour 4 personnes

200 g de lasagnes
Sel, 300 g de filet de saumon
2 c. à. s. de jus de citron
1 oignon, 1 gousse d'ail
3 c. à. s. de beurre
100 ml de vin blanc
250 ml de crème
Poivre fraîchement moulu
Zeste d'un demi-citron non
traité
100 g de gorgonzola
100 g de pecorino
Beurre pour le plat
50 g de flocons de beurre à
parsemer
Herbes de garniture

Lasagnes
fin gourmet

Le saumon est un poisson de
l'Atlantique Nord et de quelques
régions de l'hémisphère Nord. Il
peut atteindre une longueur de
2 mètres.

Cuire les lasagnes *al dente* pendant 10 min. dans de l'eau salée.

Parer, laver et essuyer le saumon dans un papier absorbant.

L'asperger du jus de citron et saler. Détailler le saumon en dés.

Éplucher les oignons et les couper en dés. Éplucher l'ail et le hacher finement.

▋▋ Faire blondir le beurre et y étuver les oignons et l'ail. Ajouter le poisson. Laisser macérer quelques instants et mouiller avec le vin blanc. Incorporer la crème, laisser réduire un peu, saler et poivrer. Faire préchauffer le four à 250° C.

▋▋ Beurrer un plat allant au four et le remplir de couches alternées de lasagnes et de poisson. Terminer par une couche de lasagnes.

▋▋ Répartir le fromage et les flocons de beurre sur la dernière couche. Faire gratiner au milieu du four pendant 15 min. Garnir d'herbes et servir.

Ravioli
« La Mamma »

Temps de préparation : 30 min
Temps de repos : 30 min
Valeurs nutritionnelles par portion :

23 g P • 28 g L • 44 g G • 564 kcal • 2369 kj

Pour 4 personnes

**180 g de farine de froment
(type 405)
80 g de semoule de blé dur
7 jaunes d'œuf
3 c. à. s. d'huile d'olive
½ c. à. c. de sel
150 g de jambon de Paris
100 g de champignons de
Paris
2 gousses d'ail
125 g de ricotta
25 g de parmigiano reggiano
râpé
Sel, poivre fraîchement moulu
Paprika en poudre
1 œuf
Beurre pour faire revenir les
ingrédients**

Tamiser la farine dans un grand récipient. Ajouter la semoule, les jaunes d'œufs, 1 cuillère à soupe d'huile d'olive, 20 ml d'eau et 1 pincée de sel.

Pétrir pendant 15 min jusqu'à obtention d'une pâte lisse. La pâte ne doit plus coller aux mains.

Envelopper ensuite la pâte dans un film transparent et la laisser reposer au réfrigérateur pendant 30 min.

Abaisser très finement la pâte sur un plan de travail fariné. Découper au couteau ou à la roulette des carrés de 5 cm de côté.

Détailler le jambon en petits dés. Parer, laver et émincer les champignons. Éplucher et presser l'ail.

Mélanger dans un récipient le jambon, les champignons, l'ail et le fromage. Saler, poivrer et assaisonner de paprika.

Prendre un peu de farce entre deux cuillères à café et la poser sur chacun des carrés. Badigeonner les bords d'œuf à l'aide d'un pinceau. Former des triangles de pâte renfermant la farce et presser sur les bords pour bien souder.

Cuire les raviolis pendant cinq min dans beaucoup d'eau salée additionnée du reste d'huile d'olive. Égoutter les pâtes et les faire revenir dans un peu de beurre fondu. Ce plat se marie bien avec une salade composée.

Poser la farce sur la pâte.

Former des triangles de pâte farcie.

BOISSON CONSEILLÉE

Le pinot nero, un vin sec de Bourgogne qui a du corps, s'adapte parfaitement à ce plat. Si vous le trouvez trop corsé, alternez-le avec un verre d'eau minérale.

Spaghettini « Bresaola »

Temps de préparation : 30 min
Valeurs nutritionnelles par portion :

41 g P • 29 g L • 75 g G • 778 kcal • 3268 kj

Pour 4 personnes

20 g de morilles séchées
400 g de spaghettini
Sel
1 oignon
4 tomates
4 c. à. s. de beurre
Poivre fraîchement moulu
350 g de foie de dinde
100 ml de fond de
champignons
4 tranches de bresaola
(viande de bœuf séchée)
70 g de parmigiano reggiano
râpé
Marjolaine pour la garniture

Faire tremper les morilles dans un peu d'eau tiède. Cuire les pâtes *al dente* pendant 12 min dans de l'eau légèrement salée. Éplucher les oignons et les couper en dés.

Laver les tomates et les ébouillanter après les avoir entaillées en croix. Les passer à l'eau froide, les peler et les couper en dés. Égoutter les morilles.

Faire blondir le beurre dans une poêle et y faire dorer les morilles avec les oignons et les tomates. Saler et poivrer.

Laver et essuyer le foie dans un papier absorbant et le détailler en cubes. L'ajouter ensuite à la préparation de tomates et de champignons et faire revenir pendant 8 min. Ajuster l'assaisonnement de sel et de poivre.

Sortir le foie et le réserver au chaud. Verser le fond de champignons dans la préparation et la faire réduire jusqu'à obtention d'une sauce épaisse. Couper le bresaola en lamelles et l'incorporer à la sauce. Égoutter les spaghettis et servir avec la sauce, le foie, le parmigiano reggiano et la marjolaine en garniture.

Laver les pommes de terre et les faire bouillir dans de l'eau salée frémissante. Les égoutter quand elles sont cuites, les peler et les réduire en purée.

Pétrir l'œuf, le jaune d'œuf et un peu de sel dans les pommes de terre et ajouter un peu de farine. La pâte doit rester légère et aérée.

Pétrir la pâte et la façonner en rouleaux de l'épaisseur d'un doigt. Confectionner des boulettes de 3 cm de large, puis appuyer dessus avec le dos de la fourchette afin de former le dessin. Les pocher pendant 5 min dans de l'eau bouillante salée.

Laver les tomates et les couper en dés, ainsi que les échalotes. Faire revenir les tomates, la viande, les échalotes et l'ail pressé dans l'huile chaude. Saler et poivrer abondamment.

Égoutter les gnocchi et les rouler dans la chapelure. Faire blondir le beurre dans une poêle et y faire revenir les gnocchi avec le marsala. Servir avec la viande.

Appuyer avec le dos de la fourchette.

Gnocchi di patate à la viande de bœuf

Temps de préparation : 50 min
Valeurs nutritionnelles par portion :

29 g P • 57 g L • 53 g G • 914 kcal • 3840 kj

Pour 4 personnes

1 kg de pommes de terre à chair farineuse
Sel, 1 œuf
1 jaune d'œuf, 150 g de farine
500 g de tomates
1 échalote, 3 c. à. s. d'huile d'olive
300 g de filet de bœuf détaillé en cubes
1 gousse d'ail
Poivre fraîchement moulu
80 g de chapelure
2 c. à. s. de beurre
80 ml de marsala
Fines herbes pour la garniture

Faire revenir le lard et les échalotes.

Ajouter le riz.

Mouiller avec le vin blanc.

Risotto de cèpes aux fines herbes

Temps de préparation : 45 min
Valeurs nutritionnelles par portion :
6 g P • 15 g L • 60 g G • 485 kcal • 2040 kj

Pour 4 personnes

100 g de lard maigre
200 g d'échalotes
5 c. à. s. de beurre
250 g de riz Arborio
100 ml de vin blanc sec
2 feuilles de laurier
500 ml de fond de bœuf
20 g de cèpes séchés
¼ de bouquet de basilic
¼ de bouquet de persil
¼ de bouquet d'origan
¼ de bouquet d'estragon
Sel
Poivre fraîchement moulu
50 g de parmigiano reggiano

Couper le lard en petits dés. Éplucher les échalotes et les couper également en dés. Faire étuver le lard et les échalotes dans 3 cuillères à soupe de beurre blondi dans une casserole.

Ajouter le riz, le faire un peu revenir et mouiller avec le vin blanc. Verser le fond de bœuf, mettre le laurier dans le risotto et le faire cuire à feu doux jusqu'à évaporation du liquide.

Entre-temps faire tremper les cèpes dans l'eau chaude. Laver les herbes, les secouer puis les hacher finement et réserver.

Bien relever le risotto avec sel et poivre et y incorporer le reste du beurre en morceaux.

Égoutter les cèpes et les émincer puis les incorporer au risotto avec les fines herbes et le parmesan. Resaler et repoivrer si nécessaire.

NOTE DU CUISINIER

Il est possible de remplacer le riz Arborio par un simple riz au lait, de même que les ingrédients du risotto peuvent être remplacés par d'autres, les cèpes, par exemple, par des légumes frais, des petits pois et des carottes, le parmesan par quelques dés de tomates. Le risotto aux fines herbes est également apprécié. Hacher finement les fines herbes, persil, origan, basilic etc. (50 g. en tout) et les mélanger à 100 g d'épinards en branches coupés menus avec un peu de fond de volaille. Mettre ce mélange dans le riz.

Mettre du beurre.

Ajouter les champignons, les fines herbes et le fromage.

Macaronis Calabraise à la Bergère

Temps de préparation : 30 min
Valeurs nutritionnelles par portion :

25 g P • 12 g L • 73 g G • 638 kcal • 2682 kj

Pour 4 personnes

**2 grosses tomates charnues
100 g de lard maigre
2 c. à. s. d'huile d'olive
½ piment rouge séché
1 oignon
Sel
400 g de macaronis
100 g de pecorino fraîchement râpé
Herbes pour la décoration**

▮▮ Parer et laver les tomates. Les entailler en croix, puis les plonger dans l'eau frémissante et aussitôt après dans l'eau froide. Les peler, enlever les graines et les couper en dés.

▮▮ Détailler le lard en petits dés et le dorer à l'huile dans une poêle. Il doit être bien croustillant. Égoutter le lard et le réserver au chaud.

▮▮ Presser le piment rouge. Éplucher l'oignon et le hacher finement. Les faire dorer dans le reste d'huile. Couper les tomates en dés, les ajouter et les faire mijoter pendant 15 min.

▮▮ Cuire les pâtes pendant 15 min *al dente* dans de l'eau bouillante salée additionnée du restant d'huile.

▮▮ Remettre le lard dans la sauce et réchauffer. Égoutter les pâtes et les mélanger à la sauce. Parsemer de fromage, garnir d'herbes et servir.

Calzone « Pirata » à la Campanienne

Temps de préparation : 45 min
Temps de fermentation : 30 min
Valeurs nutritionnelles par portion :

32 g P • 14 g L • 4 g G • 288 kcal • 1212 kj

Pour 4 personnes

**400 g de farine de froment (type 405)
½ cube de levure de boulanger,
sel, 1 gros oignon
1 gousse d'ail
3 c. à. s. d'huile d'olive
3 tomates
2 boîtes de thon nature
(de 220 g)
100 g de crevettes décortiquées
1 c. à. c. de fines herbes italiennes
100 g de parmigiano reggiano râpé
Poivre fraîchement moulu
Beurre pour la plaque du four**

▮▮ Tamiser la farine sur le plan de travail. Former une fontaine au milieu. Diluer la levure dans 200 ml d'eau tiède.

▮▮ Verser le levain dans la fontaine. Ajouter un peu de sel et pétrir jusqu'à obtention d'une pâte lisse. En faire une boule et la laisser doubler de volume pendant 30 min.

▮▮ Éplucher et émincer les oignons. Éplucher l'ail et le hacher finement. Laver les tomates, les couper en deux, enlever le pédoncule et les couper en quartiers. Faire étuver les oignons, l'ail et les tomates dans l'huile et laisser mijoter 3 min.

▮▮ Égoutter et émietter le thon et l'ajouter à la préparation avec les crevettes et les herbes. Incorporer le fromage, saler et poivrer. Préchauffer le four à 200° C

▮▮ Faire deux portions de pâte. Abaisser une moitié de 24 cm de diamètre et la mettre sur la plaque du four beurrée. Répartir la préparation dessus. Mouiller légèrement le bord de la pâte.

▮▮ Abaisser la deuxième moitié de 28 cm de diamètre et la poser sur la farce. Appuyer sur les bords et cuire cette « pizza pirate » au milieu du four pendant 30 min.

Temps de préparation : 2 h
Valeurs nutritionnelles par portion :

38 g P • 32 g L • 53 g G • 703 kcal/2955 kj

Für 4 Personen

**150 g de farine de froment
(type 405)**
150 g de semoule de blé dur
4 œufs, sel
500 g d'épinards en branches
**100 g de jambon cru doux et
peu salé**
125 g de mozzarella
1 brindille d'origan
2 gousses d'ail
150 g de ricotta
Poivre fraîchement moulu
Beurre pour la plaque du four
**1 jaune d'œuf, 50 g de
pecorino râpé**
5 c. à. s. d'huile d'olive
80 g de sauce béchamel

*Cannellonis
jardinière*

**Les épinards en branches
sont riches en minéraux
et en vitamines A, E et K.**

▮▮ Mélanger la farine, la semoule, les œufs et ½ cuillère à
café de sel avec 100 ml d'eau tiède
et pétrir jusqu'à obtention d'une pâte lisse. Laisser reposer la pâte à
couvert pendant 30 min.

▮▮ Entre-temps laver et égoutter
les épinards. Couper des
lamelles de jambon. Égoutter la
mozzarella et la couper en dés.

▮▮ Laver, secouer et hacher
finement l'origan. Éplucher e
presser les gousses d'ail. Mélanger
la ricotta et la mozzarella avec les
épinards, le jambon, l'origan et l'ail.

Relever de sel et de poivre. Préchauffer le four à 250° C.

 Abaisser la pâte d'une épaisseur d'environ 2 mm et découper 20 carrés de 10 cm de côté. Blanchir les carrés dans suffi-samment d'eau salée pendant 5 min et les égoutter.

 Étaler les carrés de pâte sur un plan de travail. Répartir la farce épinards-jambon et enrou-ler, couture en bas. Beurrer un plat allant au four.

 Placer les canellonis dans le plat. Mélanger le jaune d'œuf avec le pecorino, l'huile et la béchamel et napper les pâtes. Saler et poivrer.

 Faire gratiner au milieu du four pendant 20 min.

NOTE DU CUISINIER

Le ricotta est un fromage frais non salé très utilisé dans la cuisine italienne. La ricotta classique est à base de petit-lait de brebis. Celui-ci étant de plus en plus rare, il est fabriqué de nos jours avec du petit-lait de vache.

Pizza vénitienne aux asperges

Temps de préparation : 1 h
Temps de fermentation : 30 min
Valeurs nutritionnelles par portion :

46 g P • 43 g L • 87 g G • 989 kcal • 4153 kj

Pour 4 personnes

**500 g de farine de froment
(type 405)
Sel
1 cube de levure de boulanger
1 œuf
2 c. à. s. d'huile d'olive
750 g d'asperges
250 g de pleurotes
250 g de viande hachée
mélangée (porc et bœuf)
Sel
Poivre fraîchement moulu
Huile pour la plaque du four
Farine pour le plan de travail
4 c. à. s. de concentré de
tomates
1 c. à. s. de thym haché
250 g de fontina**

Passer la farine dans un grand récipient et y mélanger ½ cuillère à café de sel. Faire une fontaine au milieu. Effriter la levure. Ajouter l'œuf, l'huile et 220 ml d'eau tiède.

Pétrir jusqu'à obtention d'une pâte lisse. Former une boule et la faire doubler de volume à couvert pendant 30 min dans un endroit chaud.

Entre-temps parer, éplucher et couper les asperges en morceaux. Parer et laver les pleurotes et les couper en morceaux. Saler et poivrer la viande hachée.

Blanchir les asperges dans une eau légèrement salée pendant 8 min.

Repétrir la pâte à pizza. Préchauffer le four à 230° C. Badigeonner une plaque à pizza d'huile. Faire une abaisse de la grandeur de la plaque à pizza sur un plan de travail fariné.

Foncer la plaque et la badigeonner de concentré de tomates. Effriter la viande hachée dessus. Égoutter les asperges.

Garnir la pizza avec les morceaux d'asperges et de pleurotes. Parsemer de thym et de copeaux de fromage. Mettre au milieu du four pendant 45 min.

Abaisser la pâte.

Badigeonner de concentré de tomates.

BOISSON CONSEILLÉE

Le bianco piceno est un vin léger et rafraîchissant très agréable à boire en provenance des Marches. Il accuse le doux arôme du risotto sans interférer avec lui.

Risotto
« *insalata* »

Temps de préparation : 45 min
Valeurs nutritionnelles par portion :

15 g P •	45 g L •	64 g G •	763 kcal •	3204 kj

Pour 4 personnes

2 oignons
2 gousses d'ail
3 c. à. s. de beurre
300 g de riz Arborio
200 ml de vin blanc
400 ml de bouillon de légumes
150 g de salade de Trévise
100 g de roquette
50 g de graines de courge
100 g de fromage au poivre
1 zeste de citron
8 c. à. s. d'huile d'olive
Sel
Poivre fraîchement moulu

Éplucher les oignons et les couper en dés. Éplucher l'ail et le hacher finement. Faire étuver le riz dans le beurre blondi et y ajouter les oignons et l'ail.

Mouiller avec le vin et le bouillon de légumes et laisser mijoter 15 min.

Laver la Trévise, l'essorer et l'émincer. Laver la roquette et la secouer.

Réduire en purée les graines de courges et le fromage au mixeur et y ajouter le zeste de citron.

Faire étuver les salades dans un peu d'huile. Ajouter dans la poêle le mélange de fromage et de graines de courge. Saler et poivrer.

Incorporer cette préparation au riz et vérifier l'assaisonnement. Rajouter au besoin sel et poivre.

Cuire les tortellinis *al dente* dans de l'eau salée pendant 5 min.

Parer, laver et éplucher les carottes et les émincer. Éplucher le céleri et le couper en petits dés. Parer, laver et émincer le poireau.

Faire chauffer dans une casserole le vin blanc et le vinaigre et blanchir les légumes pendant 8 min.

À la fin de la cuisson réduire légumes et liquide en purée au mixeur.

Assaisonner, sel, poivre, paprika et un peu de sucre.

Incorporer le mascarpone. Égoutter les tortellinis et dresser sur des assiettes avec la sauce. Parsemer de pecorino et servir.

Mettre les légumes dans le vin.

Tortellinis à la crème de légumes

Temps de préparation : 30 min
Valeurs nutritionnelles par portion :

8 g P • 10 g L • 33 g G • 407 kcal • 1709 kj

Pour 4 personnes

250 g de tortellinis farcis à la viande
Sel
200 g de carottes
200 g de céleri rave
150 g de poireaux
250 ml de vin blanc sec
2 c. à. s. de vinaigre balsamique
Poivre fraîchement moulu
Paprika en poudre, sucre
2 c. à. s. de mascarpone
20 g de pecorino râpé

Pétrir les ingrédients.

Envelopper la pâte dans un film transparent.

Faire une abaisse très fine.

Tagliatelles aux fines herbes

Temps de préparation : 15 min
Temps de repos : 1 h
Temps de séchage : 1 h
Valeurs nutritionnelles par portion :

17 g P • 37 g L • 50 g G • 656 kcal • 2757 kj

Pour 4 personnes

**180 g de farine de froment
(Type 405)
80 g de semoule de blé dur
7 jaunes d'œuf
1 c. à. c. d'huile d'olive
Sel
1 bouquet de basilic
1 bouquet de persil
1 poivron rouge
1 poivron vert
Farine pour le plan de travail
2 c. à. s. de beurre
2 gousses d'ail
80 ml de vin blanc
125 g de mascarpone
Poivre fraîchement moulu**

Passer la farine dans un grand récipient et y mettre les jaunes d'œuf, l'huile, 20 ml d'eau et ½ cuillère à café de sel.

Pétrir ces ingrédients en une pâte lisse. Former une boule, l'envelopper dans un film transparent et laisser reposer 1 h au réfrigérateur.

Entre-temps, laver, secouer et émincer les herbes. Parer, laver et couper les poivrons en deux. Enlever les graines et détailler les poivrons en lamelles.

Faire avec la pâte une abaisse très fine sur un plan de travail fariné. Former un rouleau de pâte et couper des tagliatelles d'un ½ cm d'épaisseur.

Former des nids et les laisser sécher pendant 1 heure à température ambiante.

Faire étuver les poivrons et les herbes à la poêle dans le beurre blondi. Éplucher l'ail, le presser et l'ajouter. Mouiller avec le vin blanc et laisser mijoter pendant 5 min. Incorporer le mascarpone. Saler et poivrer.

Cuire les tagliatelles dans l'eau salée pendant 2-3 min. Dresser les pâtes avec la sauce sur les assiettes et servir.

NOTE DU CUISINIER

Les pâtes se trouvent aussi dans le commerce. Pour le plaisir des yeux, il est possible de teindre les pâtes avec des colorants naturels, jus de betterave pour obtenir le rouge, épinards pour le vert etc.

Confectionner les tagliatelles.

Former des nids.

Pizza « Florentina »

Temps de préparation : 45 min
Temps de fermentation : 30 min
Valeurs nutritionnelles par portion :
44 g P • 28 g L • 98 g G • 883 kcal • 3709 kj

Pour 4 personnes

500 g de farine, sel
1 cube de levure de boulanger
1 œuf
3 c. à. s. d'huile
300 g de poireaux
400 g de crevettes cuites
2 oignons, 300 g de morceaux
d'ananas 200 g de jambon de
Paris
½ bouquet de persil
½ bouquet de basilic
200 g de taleggio
Huile pour la plaque du four
200 g de purée de tomates aux
herbes

Passer la farine dans un grand récipient et y incorporer le sel. Former une fontaine au milieu. Effriter la levure et ajouter l'œuf, l'huile et 220 ml d'eau tiède.

Pétrir le tout jusqu'à obtention d'une pâte lisse. Former une boule et la laisser doubler de volume à couvert et au chaud pendant 30 min.

Entre temps parer, laver et émincer les poireaux. Laver et sécher les crevettes. Éplucher et émincer les oignons. Égoutter l'ananas et couper des carrés de jambon.

Laver, secouer et ciseler les fines herbes. Couper le fromage en tranches.

Pétrir encore une fois la pâte. Préchauffer le four à 230° C. Huiler la plaque du four. Abaisser la pâte aux dimensions de la plaque sur un plan de travail fariné.

Foncer la plaque et l'enduire de purée de tomates. Répartir sur une moitié de pâte les poireaux, les crevettes et les oignons et sur l'autre moitié l'ananas et le jambon. Saler et poivrer. Parsemer de fines herbes et recouvrir de fromage. Cuire au milieu du four pendant 20 min.

Penne à l'aubergine

Temps de préparation : 25 min
Valeurs nutritionnelles par portion :
37 g P • 41 g L • 97 g G • 957 kcal • 4021 kj

Pour 4 personnes

500 g de penne
Sel
5 oignons
2 gousses d'ail
400 g d'aubergines
250 g de viande de mouton
hachée
Poivre fraîchement moulu
Paprika en poudre
3 c. à. s. de beurre
1 bouquet de basilic
100 ml de crème
80 g de parmigiano reggiano
râpé
Huile pour faire revenir les
pâtes en fin de cuisson

Cuire les pâtes *al dente* dans assez d'eau salée pendant 15 min.

Éplucher et couper les oignons en dés. Éplucher et presser l'ail. Parer, laver et couper les aubergines en dés.

Assaisonner la viande hachée avec du sel, du poivre et du paprika. Faire chauffer le beurre dans une poêle et y faire revenir la viande. Ajouter les oignons, l'ail et les aubergines. Resaler et poivrer à nouveau si nécessaire et laisser mijoter pendant 7 min.

Laver, secouer et ciseler le basilic. Mélanger la crème, le fromage et les basilic et incorporer cette préparation au mélange d'aubergines et de viande.

Égoutter les pâtes et les faire revenir dans un peu d'huile. Les dresser sur les assiettes avec la sauce et servir.

NOTE DU CUISINIER
Les pâtes courtes et creuses absorbent beaucoup de sauce et se marient pour cette raison avec de nombreux plats. On les trouve lisses ou cannelées.

Viande, volaille et gibier
– Carne, Pollame e Cacciagione –

La viande de premier choix, la saveur des
épices et les sauces
les plus fines font de chaque plat un
chef-d'œuvre culinaire.
Savourez la diversité de la cuisine italienne !

Temps de préparation : 1 h ½
Valeurs nutritionnelles par portion :
56 g P • 24 g L • 47 g G • 739 kcal • 3106 kj

Pour 4 personnes

800 g de queues de bœuf
Sel
Poivre fraîchement moulu
2 c. à. s. de farine
2 oignons
100 g de céleri
2 carottes
500 g de tomates olivettes
(allongées)
50 g de beurre clarifié
500 g de tomates en morceaux
(conserve)
250 ml de vin blanc
5 filets d'anchois
1 bouquet de persil
2 c. à. s. de jus de citron
2 gousses d'ail

Hochepot de queue de bœuf « Vaccinari »

Les olivettes sont de petites tomates allongées ou ovoïdes, fermes, d'un rouge éclatant et parfumées. Elles ont peu de graines.

Parer, laver et essuyer la viande dans un papier absorbant. La détailler en morceaux. Les saler, les poivrer et les parsemer de farine.

Éplucher les oignons et les couper en dés. Éplucher le céleri et le couper également en dés. Éplucher et émincer les carottes.

Laver les tomates et les couper en dés. Faire chauffer le beurre et y faire revenir la viande 5 min. Ajouter ensuite les légumes coupés.

Mouiller le tout avec les morceaux de tomates en boîte et le vin blanc.

Couper les anchois en petits morceaux et les incorporer. Laver, secouer et hacher finement le persil et l'ajouter à la viande.

Relever avec le jus de citron. Éplucher et presser l'ail et l'ajouter à la viande. Faire mijoter le tout à feu doux dans une cocotte fermée pendant 1 h.

À la fin du temps de cuisson, enlever le couvercle et laisser encore mijoter 10 min sans couvercle. Vérifier l'assaisonnement avant de servir et saler et poivrer si nécessaire.

NOTE DU CUISINIER

C'est une vieille recette de la cuisine romaine. À Rome on préfère la viande braisée ou poêlée à la viande bouillie. Pour braiser ou faire revenir à la poêle, on utilise très souvent le saindoux, ou parfois l'huile d'olive, selon les vieilles recettes traditionnelles. Les « Vaccinari » sont les commis d'abattoir qui dépouillent les bœufs. On leur donnait autrefois tous les quinze jours une queue de bœuf en prime qu'ils faisaient mijoter avec les légumes de saison ou ce que l'on trouvait sur le marché pour pas cher.

Civet de marcassin

Temps de préparation : 2 h
Temps de macération : 1 jour
Valeurs nutritionnelles par portion :

| 59 g P • 38 g L • 10 g G • 827 kcal • 3474 kj |

Pour 4 personnes

1 kg de râble de sanglier
Sel
Poivre fraîchement moulu
500 ml de vin blanc
3 c. à. s. d'huile d'olive
2 oignons
2 carottes
1 fenouil
500 ml de bouillon de légumes
1 bouquet de basilic
200 g de mascarpone

▌▌ Laver la viande, l'essuyer avec un papier absorbant. La saler, la poivrer et la laisser mariner une journée.

▌▌ Sortir la viande et l'essuyer de nouveau. Dorer la viande à l'huile dans une cocotte. Préchauffer le four à 200° C.

▌▌ Éplucher les oignons et les couper en dés. Parer, laver, éplucher et émincer les carottes. Parer, laver et couper le fenouil en morceaux.

▌▌ Ajouter les légumes à la viande et les laisser mijoter 4 min. Mouiller ensuite avec le bouillon de légumes.

▌▌ Faire mijoter le tout au milieu du four pendant 1 heure ¼.

▌▌ Laver, secouer et ciseler le basilic. Sortir la viande de la cocotte, la laisser reposer un moment et la couper en tranches.

▌▌ Incorporer le mascarpone et le basilic à la sauce et vérifier l'assaisonnement. Saler et poivrer si nécessaire.

NOTE DU CUISINIER
La chair du marcassin est tendre et savoureuse et n'a pas le goût de fauve. Vous pouvez relever ce plat en ajoutant au vin une bonne ration de liqueur, de préférence aux herbes.

Faire dorer la viande.

Couper la viande en tranches.

BOISSON CONSEILLÉE

Essayez une fois pour accompagner la volaille un vernaccia di San Gimignano de Toscane. C'est un vin blanc fruité avec un arôme très doux, une saveur noisetée et parfumée.

Escalopes de poulet à la mozzarella

Temps de préparation : 45 min
Valeurs nutritionnelles par portion :
56 g P • 19 g L • 5 g G • 477 kcal • 2003 kj

Pour 4 personnes

2 oignons
3 c. à. s. d'huile
1 boîte de tomates pelées
125 ml de vin rouge
1 c. à. s. de concentré de tomates
Sel
Poivre fraîchement moulu
1 c. à. c. d'herbes aromatiques italiennes hachées
800 g d'escalopes de poulet
3 c. à. s. de beurre
200 g de mozzarella
1 bouquet de basilic

Éplucher et émincer les oignons et les faire blondir dans l'huile.

Égoutter les tomates, les couper grossièrement et les ajouter aux oignons. Mouiller avec le vin rouge et incorporer le concentré de tomates. Saler et poivrer et laisser réduire un peu.

Couper les escalopes en deux, les laver, les essuyer, saler et poivrer. Faire fondre le beurre dans une poêle et y faire revenir les escalopes pendant 4 min de chaque côté.

Verser la sauce tomate dans un plat allant au four de 2 l de contenu. Parsemer d'herbes et poser les escalopes dessus.

Couper la mozzarella en tranches et les placer sur les escalopes. Faire fondre le fromage au four très chaud (250° C) pendant 15 min.

Laver, secouer et ciseler le basilic. Dresser les escalopes sur les assiettes, parsemer de basilic et servir.

Laver et essuyer les escalopes. Saler et poivrer et les inciser de manière à former une poche.

Remplir chaque escalope d'une demi-tranche de jambon et d'une demi-tranche de provolone. Les faire tenir avec des brochettes et les rouler dans la farine.

Battre l'œuf sur une assiette. Passer les escalopes à l'œuf et les rouler dans la chapelure.

Les faire dorer dans le beurre fondu pendant 6 min. de chaque côté.

Toaster les tranches de pain de mie, les beurrer, les garnir de feuilles de salade et dresser les escalopes dessus. Garnir d'oignons et servir.

NOTE DU CUISINIER
Pour relever le goût, mettez une goutte d'huile d'olive et un peu de poivre sur votre toast.

Rouler les escalopes dans la chapelure.

Toast gourmand du Haut-Adige

Temps de préparation : 40 min
Valeurs nutritionnelles par portion :

37 g P • 39 g L • 13 g G • 589 kcal • 2475 kj

Pour 4 personnes

**4 escalopes de porc de 120 g
Sel, poivre fraîchement moulu
2 tranches de jambon de Paris
4 tranches de provolone
2 c. à. s. de farine, 1 œuf
Chapelure
3 c. à. s. de beurre clarifié
4 tranches de pain de mie complet
4 feuilles de salade, oignons dorés**

Détailler la viande en roulade.

Incorporer la préparation à la crème.

Étaler la préparation sur la viande.

Poitrine de veau farcie

Temps de préparation : 1 h ½
Valeurs nutritionnelles par portion :
51 g P • 69 g L • 38 g G •
1041 kcal • 4372 kj

Pour 4 personnes

**800 g de poitrine de veau
4 tranches de pain blanc
italien
150 g de crème aigre
2 oignons
50 g de lard maigre
Sel
Poivre fraîchement moulu
2 pommes surettes
4 figues
50 g de pignons
4 c. à. s. d'huile
400 ml de bouillon de légumes
200 g de mascarpone
Herbes pour la garniture**

Laver et essuyer la poitrine de veau et la détailler en roulade.

Couper le pain en dés et le mélanger à la crème. Éplucher les oignons et les couper en dés. Détailler le lard en petits dés et incorporer le lard et les oignons à la crème. Saler et poivrer.

Éplucher les pommes, les couper en deux et enlever les trognons. Couper les pommes en quatre quartiers puis en dés. Éplucher les figues et les couper en quartiers.

Mettre les pommes et les pignons avec la crème sur le veau et répartir les figues dessus. Enrouler la viande sur elle-même et ficeler les roulades.

Dorer la viande à l'huile sur tous les côtés dans une cocotte. Mouiller avec le bouillon de légumes et braiser pendant 40 min.

Sortir la viande, la laisser reposer quelques instants et la couper en tranches. Faire réduire le fond et y mettre le mascarpone. Saler et poivrer. Servir ce plat garni d'herbes aromatiques.

NOTE DU CUISINIER
De la bonne viande de veau provenant d'élevages respectueux du bien-être des animaux n'est pas bon marché. N'économisez pas sur la qualité mais en achetant de la viande non désossée. Faites-la parer par le boucher. Avec les os vous ferez un excellent fond de veau.

Répartir les figues dessus.

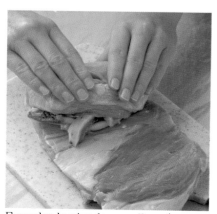

Enrouler la viande sur elle-même.

Filet de porc farci de Toscane

Temps de préparation : 1 heure
Valeurs nutritionnelles par portion :
36 g P • 38 g L • 4 g G • 556 kcal • 2337 kj

Pour 4 personnes

100 g de champignons de Paris
1 c. à. s. de beurre
2 c. à. s. de chapelure
300 g de gorgonzola
450 g de filet de porc
Sel
Poivre fraîchement moulu
3 c. à. s. d'huile d'olive
1 oignon
250 ml de bouillon instantané
6 c. à. s. de crème
50 g de champignons émincés
et persil pour la garniture

Parer, laver et hacher finement les champignons. Faire dorer la chapelure dans un peu de beurre et la mélanger aux champignons.

Écraser le gorgonzola avec le dos d'une fourchette et le pétrir avec les champignons et la chapelure. Laver et essuyer le filet de porc détaillé en rôti et l'inciser dans la longueur en laissant une marge de 5 mm.

Saler et poivrer la farce et l'introduire dans le rôti. Fermer et enrouler avec du fil de cuisine.

Faire revenir le rôti dans l'huile. Éplucher les oignons, les couper en dés et les faire dorer avec le rôti.

Mouiller avec le bouillon et laisser mijoter 40 min.

Sortir le rôti et le réserver au chaud. Mettre la crème dans le fond de veau et laisser réduire un peu. Saler et poivrer. Dresser le filet de porc avec la sauce et les champignons émincés et parsemer de persil.

Escalopes de veau « Provolone »

Temps de préparation : 15 min
Valeurs nutritionnelles par portion :
60 g P • 50 g L • 8 g G • 777 kcal • 2538 kj

Pour 4 personnes

700 g de tomates
1 oignon
1 c. à. s. d'huile d'olive
2 c. à. s. de basilic haché
8 petites escalopes de veau de 100 g chacune
2 c. à. s. de jus de citron
Sel
Poivre fraîchement moulu
1 œuf
Chapelure
1 c. à. s. de beurre
8 tranches de jambon cru
8 tranches de provolone

Laver les tomates et les entailler en croix. Les ébouillanter, puis les peler, les épépiner et les réduire en purée.

Éplucher et couper les oignons en dés. Les faire étuver dans un peu d'huile. Ajouter la purée de tomates. Laver, secouer et ciseler le basilic.

Citronner les escalopes. Saler et poivrer. Battre l'œuf dans une assiette, mouiller l'escalope d'œuf et la rouler dans la chapelure.

Faire revenir les escalopes 5 min. de chaque côté dans le beurre. Ajouter la préparation de tomates.

Étaler sur chaque escalope une tranche de jambon et une tranche de provolone et continuer la cuisson à couvert jusqu'à ce que le fromage soit fondu.

NOTE DU CUISINIER
L'opération consistant à enrober l'escalope de chapelure ou de panure après l'avoir mouillée d'œuf permet à la viande de demeurer tendre et juteuse.

Temps de préparation : 40 min
Valeurs nutritionnelles par portion :

53 g P • 33 g L • 25 g KG • 691 kcal • 2905 kj

Pour 4 personnes

800 g de filet de bœuf
Sel
Poivre fraîchement moulu
2 oignons
300 g de fond de légumes
100 g de riz
2 c. à. s. de beurre
Beurre pour le plat
150 g de cèpes
100 g de bel paese
2 jaunes d'œuf
125 ml de marsala
4 c. à. s. de mascarpone

Filet de bœuf « Alfredo » à la sicilienne

Le marsala est un vin de dessert produit aux alentours de Marsala, port situé à la pointe occidentale de la Sicile.

▮▮ Parer, laver et essuyer la viande dans un papier absorbant. La détailler en huit tranches d'égale épaisseur. Saler et poivrer et attendrir la viande en l'aplatissant. Préchauffer le four à 250° C.

▮▮ Éplucher les oignons et les couper en dés. Porter le fond de légumes à ébullition et y faire cuire le riz à couvert pendant 20 min.

▮▮ Faire sauter la viande dans le beurre chaud. Quand elle est bien dorée de tous les côtés, la sortir

de la poêle et l'égoutter sur un papier absorbant.

██ Beurrer un plat allant au four et y mettre la viande. Parer les champignons et les passer rapidement à l'eau froide, puis les égoutter et les émincer.

██ Faire étuver les champignons et les oignons dans le reste de graisse de cuisson de la viande réchauffé. Râper le fromage.

██ Égoutter le riz. Battre les œufs et les mélanger au riz. Étaler les oignons, les champignons et le riz sur les tranches de viande et recouvrir de fromage.

██ Gratiner la viande au milieu du four pendant 20 min.

██ Mouiller le dépôt de graisse de cuisson avec le marsala, y incorporer le mascarpone. Saler et poivrer. Dresser la viande avec la sauce sur des assiettes et servir.

Cailles mode chasseur

Temps de préparation : 50 min
Valeurs nutritionnelles par portion :

54 g P • 35 g L • 28 g G • 743 kcal • 3121 kj

Pour 4 personnes

8 cailles parées
1 oignon
2 tranches de pain blanc italien
1 bouquet de cerfeuil
3 c. à. s. de lait
1 c. à. s. de beurre
100 g de noix décortiquées
Sel
Poivre fraîchement moulu
Worcestershire sauce
Beurre pour le plat
1 botte de pot-au-feu
4 c. à. s. d'huile d'olive
250 ml de vin blanc

▌▌ Laver et essuyer les cailles. Éplucher les oignons et les couper en dés.

▌▌ Couper le pain en dés. Laver, secouer et effeuiller le cerfeuil.

▌▌ Mélanger le lait, le pain et le cerfeuil. Faire dorer les oignons dans le beurre. Préchauffer le four à 180° C.

▌▌ Ajouter les noix aux oignons. Saler, poivrer et assaisonner de Worcestershire sauce. Ajouter la préparation de pain et retirer du feu.

▌▌ Beurrer un plat allant au four. Farcir les cailles et fermer l'ouverture.

▌▌ Parer, laver et couper les légumes du pot-au-feu en dés, puis les répartir au fond du plat. Poser les cailles dessus.

▌▌ Verser quelques gouttes d'huile d'olive sur les cailles et les faire rôtir au milieu du four pendant 10 min.

▌▌ Mouiller ensuite avec le vin, continuer la cuisson pendant 15 min. et laisser reposer 15 autres minutes à four éteint.

NOTE DU CUISINIER
Veiller à l'achat des cailles qu'elles soient bien plumées. Enlever, si nécessaire, les plumes restantes avec une pincette.

Farcir les cailles.

Fermer l'ouverture.

BOISSON CONSEILLÉE

Essayez un valpolicella (DOC) de la nouvelle génération. C'est un excellent vin rouge velouté, vif et bouqueté. De couleur rubis, odorant, le valpolicella est le meilleur des vins de la Vénétie.

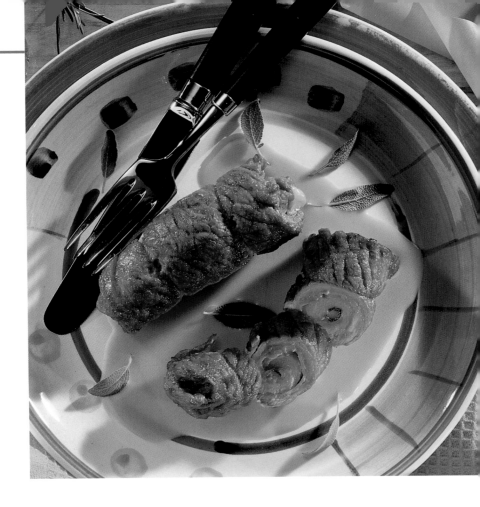

Paupiettes de veau flambées

Temps de préparation : 45 min
Valeurs nutritionnelles par portion :

41 g P • 34 g L • 2 g G • 566 kcal • 2377 kj

Pour 4 personnes

8 fines escalopes de veau
Sel
Poivre fraîchement moulu
8 tranches de jambon de Parme
8 tranches de pastorella (fromage gras à pâte pressée italien)
1 bouquet de sauge
2 c. à. s. d'huile d'olive
3 c. à. s. de cognac
125 ml de vin blanc
125 ml de bouillon de veau
3 c. à. s. de mascarpone
Sauge pour la garniture

Attendrir les escalopes en les aplatissant avec précaution. Saler et poivrer. Étaler sur chaque escalope 1 tranche de jambon, 1 tranche de fromage et 2 à 3 feuilles de sauge lavées et essuyées.

Enrouler les escalopes et les ficeler. Faire sauter les paupiettes dans l'huile chaude pendant 10 min.

Mouiller avec le cognac et flamber. Sortir les paupiettes de la poêle et les réserver au chaud.

Déglacer la poêle avec le vin et le bouillon. Porter à ébullition et laisser réduire de moitié. Incorporer le mascarpone. Saler et poivrer la sauce et dresser le tout sur des assiettes. Garnir de feuilles de sauge et servir.

NOTE DU CUISINIER

Si vous allez en Italie, ramenez une fois une bouteille de Vecchia Romagna, cognac italien à l'arôme puissant qui vieillit pendant plusieurs années et apporte un bouquet incomparable en cuisine dans les plats en sauce, les apprêts flambés et les macérations. La maturation se fait dans des fûts en bois spécialement fabriqués qui lui donnent une saveur ronde et une couleur très soutenue.

Faire tremper le petit pain, le presser pour en faire sortir l'eau et le couper en morceaux. Éplucher les oignons et les couper en dés. Égoutter et émincer les olives.

Mélanger le pain avec les oignons, les olives, les œufs et la viande hachée. Saler et poivrer abondamment. Éplucher l'ail, le presser et l'ajouter à la préparation.

Confectionner des galettes de viande et les faire dorer dans le beurre clarifié de tous les côtés pendant 10 min. Quand les galettes sont terminées, les réserver au

chaud. Laver les tomates et les couper en rondelles.

Réchauffer le jus de cuisson de la viande et y faire étuver les rondelles de tomates. Saler et poivrer. Laver et secouer le basilic et l'ajouter aux tomates. Dresser la viande et les tomates sur des assiettes et servir.

Confectionner des galettes.

Galettes de viande sardes

Temps de préparation : 40 min
Valeurs nutritionnelles par portion :
30 g P • 53 g L • 19 g G •
722 kcal/3034 kj

Pour 4 personnes

1 petit pain
1 oignon
10 olives au poivron
500 g de viande de mouton hachée
Sel, 2 œufs
Poivre fraîchement moulu
2 gousses d'ail
4 c. à. s. de beurre clarifié
2 tomates charnues
1 bouquet de basilic

Saler et poivrer l'intérieur de la volaille.

Préparer la farce.

Remplir la volaille de farce.

Dindonneau farci

Temps de préparation : 1 h ½

Valeurs nutritionnelles par portion :
175 g P • 116 g L • 24 g G •
2056 kcal • 8636 kJ

Pour 4 personnes

**1 dindonneau paré d'env. 2 kg
Sel
Poivre fraîchement moulu
200 g de foie de volaille
200 g de champignons
2 tranches de pain blanc
italien
1/4 de bouquet de sauge
5 gousses d'ail
80 g de ricotta
4 c. à. s. d'huile d'olive
5 c. à. s. de beurre
300 ml de vin blanc sec
300 ml de bouillon de légumes**

Laver et essuyer le dindonneau, le saler et le poivrer à l'intérieur. Laver, essuyer et détailler le foie en lamelles.

Parer les champignons, les passer sous l'eau froide et les émincer. Couper le pain en dés. Laver, secouer et ciseler la sauge.

Éplucher l'ail et le hacher finement. Mélanger le foie, le pain, les champignons, la sauge, l'ail et la ricotta. Saler et poivrer. Préchauffer le four à 180° C.

Remplir de farce l'intérieur du dindonneau. Fermer l'ouverture avec des bâtonnets en bois et huiler la volaille. La faire dorer de tous les côtés dans le beurre chaud.

Égoutter les olives. Verser le vin blanc et le bouillon de légumes.

Faire braiser au milieu du four pendant 90 min. Arroser régulièrement la volaille de jus. Dresser le dindonneau sur un plat et servir.

NOTE DU CUISINIER
La volaille doit être d'excellente qualité. Achetez plutôt une volaille de ferme, nourrie en liberté et de préférence encore vivante. Les oiseaux abattus sont souvent vendus avec la tête et les pieds. Le marchand de volailles montre par ce procédé que sa marchandise est vraiment fraîche.

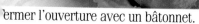

Fermer l'ouverture avec un bâtonnet.

Enduire le dindonneau d'huile.

Paupiettes de dinde

Temps de préparation : 1 heure
Valeurs nutritionnelles par portion :

67 g P • 56 g L • 4 g G • 855 kcal • 3592 kj

Pour 4 personnes

1 botte de ciboulette
300 g de bleu
Sel
Poivre fraîchement moulu
1 blanc de dinde de 750 g
6 tranches de bacon
4 c. à. s. de beurre
150 g de mascarpone
20 ml de vino santo

Laver, secouer et ciseler la ciboulette. Écraser le bleu à la fourchette. Saler, poivrer et incorporer les ⅔ de la ciboulette.

Couper le blanc de dinde dans le sens de la longueur de manière à former une escalope d'un ½ cm d'épaisseur. Poser le bacon et étaler le fromage dessus. Préchauffer le four à 200° C.

Enrouler l'escalope sur elle-même. Saler et poivrer. Faire dorer l'escalope au beurre dans une cocotte.

Mouiller le tout avec 125 ml d'eau et faire braiser au milieu du four pendant 45 min. Arroser de temps en temps avec le jus de cuisson.

Sortir l'escalope de la cocotte et réserver au chaud. Mélanger le fond avec le mascarpone et le vino santo. Saler et poivrer et servir comme sauce avec les paupiettes. Parsemer le tout du reste de ciboulette.

Civet de chevreuil tyrolien

Temps de préparation : 1 h ½
Valeurs nutritionnelles par portion :

50 g P • 19 g L • 4 g G • 470 kcal • 1975 kj

Pour 4 personnes

800 g de ragoût de chevreuil
Sel
Poivre fraîchement moulu
20 g de lard gras
2 oignons
2 gousses d'ail
1 brindille de romarin
2 c. à. s. d'huile d'olive
200 ml de vin blanc
2 anchois
80 g de crème fraîche
Quartiers de pommes, persil et quelques lardons pour la garniture

Laver et essuyer la viande. Saler et poivrer. Couper le lard gras en dés.

Éplucher les oignons et les couper en dés. Éplucher l'ail et le hacher finement. Laver et secouer le romarin et détacher les feuilles. Faire fondre le lard avec un peu d'huile dans une cocotte. Faire dorer la viande pendant 8 min. Ajouter les oignons, l'ail et le romarin.

Mouiller avec le vin blanc. Couper les anchois en morceaux et les ajouter. Faire braiser pendant 1 h.

Incorporer la crème fraîche et goûter. Saler et poivrer si nécessaire. Garnir le civet avec les quartiers de pomme, le persil et les lardons et servir.

NOTE DU CUISINIER
Cette recette peut se faire avec toutes sortes de gibier, cerf, lièvre, lapin ou sanglier.

Temps de préparation : 1 h ½
Valeurs nutritionnelles par portion :

50 g P • 31 g L • 5 g G • 563 kcal • 2365 kj

Pour 4 personnes

2 pintades prêtes à cuire
Sel
Poivre fraîchement moulu
4 oranges
¼ de bouquet de sauge
3 c. à. s. d'huile d'olive
250 ml de bouillon de poule
100 ml de vin rouge
100 g de mascarpone

Pintade toscane
« Catharina »

Une volaille savoureuse qui
compte parmi les plus
appréciées.

Laver et essuyer les pintades dans un papier absorbant. Saler et poivrer l'intérieur.

Éplucher les oranges et détacher les filets un à un avec un couteau pointu. Préchauffer le four à 180° C.

Laver et secouer la sauge et en détacher les feuilles. Mélanger les oranges et la sauge et en farcir les pintades. Fermer l'ouverture avec des bâtonnets en bois.

Badigeonner les pintades d'huile. Faire chauffer le reste

d'huile dans une cocotte et y faire dorer les pintades de tous les côtés.

▮▮ Mouiller ensuite les pintades avec le bouillon de poule et le vin rouge.

▮▮ Faire braiser au milieu du four pendant 1 h. Arroser régulièrement les pintades avec le jus de cuisson.

▮▮ Sortir les volailles de la cocotte, porter le fond à ébullition, le retirer du feu et y incorporer le fromage. Saler et poivrer.

Dresser les pintades avec la sauce sur des assiettes et servir.

NOTE DU CUISINIER
La pintade fait partie, avec le faisan, la perdrix et le perdreau, des plats traditionnels du dimanche. Cette recette fut amenée en France par Catherine de Médicis qui adorait la volaille avec des farces fruitées. Par son mariage avec Henri II, roi de France, elle influença largement la cuisine française.
Le fameux canard à l'orange, que l'on pense toujours être très français, fut à l'origine une création des cuisiniers des Médicis.

Rôti de bœuf lardé à la mode lombarde

Temps de préparation : 1 h ½
Temps de macération : 12 h
Valeurs nutritionnelles par portion :
23 g P • 53 g L • 17 g G • 744 kcal • 3125 kj

Pour 4 personnes

3 oignons
200 g de céleri en branche
300 g de carottes
400 ml de chianti
1 brindille de romarin
4 clous de girofle
1/2 écorce de cannelle
1 kg de rôti de bœuf à braiser
Sel
Poivre fraîchement moulu
150 g de lard gras
100 g de bacon
5 c. à. s. d'huile d'olive
250 ml de fond de légumes
6 c. à. s. de marsala
3 c. à. s. de beurre

Éplucher les oignons et les couper en morceaux. Parer, laver et couper le céleri en morceaux.

Parer, éplucher et émincer les carottes. Verser le chianti dans un récipient avec les légumes. Laver le romarin, le secouer et l'ajouter au vin avec les clous de girofle et la cannelle.

Laver et essuyer la viande et la faire mariner pendant 12 heures dans le vin.

Sortir la viande à la fin du temps de macération, l'essuyer, la saler et la poivrer et la larder à l'aide d'une lardoire. Couper le bacon en lamelles.

Dorer la viande à l'huile dans une cocotte. Faire également revenir le bacon.

Mouiller avec le fond de légumes et 100 ml de marinade. Faire braiser 1 heure à couvert et à feu doux.

Sortir la viande, la laisser reposer quelques instants et la couper en tranches.

Laisser réduire le jus de cuisson, puis y verser le marsala et y incorporer quelques flocons de beurre. Saler et poivrer la sauce. Dresser sur les assiettes et servir.

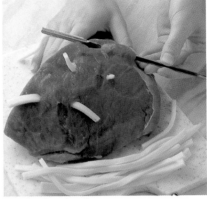

Larder la viande.

Faire dorer le rôti.

BOISSON CONSEILLÉE

Ce plat consistant se marie avec un apéritif à l'ananas bien corsé fait de jus d'ananas, d'un jet de grappa et de quelques gouttes de jus de citron vert. On décore le verre avec un morceau d'ananas et une olive noire.

Filet de lièvre en capuchon

Temps de préparation : 30 min
Valeurs nutritionnelles par portion :

39 g P	41 g L	4 g G	592 kcal	2487 kj

Pour 4 personnes

**6 filets de lièvre
de 150 g chacun
2 c. à. s. d'huile
Sel
Poivre fraîchement moulu
40 ml de cognac
100 g de gorgonzola
50 g de beurre aillé
Sauce Cumberland (produit industriel)
1 rosette de tomate en garniture**

Laver et essuyer les filets de lièvre et les badigeonner d'huile. Saler, poivrer et faire dorer dans l'huile pendant 6 min. Préchauffer le four à 250° C.

Répartir le cognac sur les filets et les flamber. Réserver ensuite les filets au chaud.

Écraser le gorgonzola avec une fourchette et le pétrir avec le beurre. Étaler cette pâte sur les filets de lièvre et mettre au four jusqu'à ce que le fromage soit fondu.

Dresser les filets avec la sauce Cumberland, garnir d'une tomate en rose et servir.

NOTE DU CUISINIER
*Les Italiens sont de bons chasseurs et aiment en particulier chasser le lièvre et le lapin sauvage plus que le sanglier (sauf dans les Abruzzes et en Sardaigne). Les connaisseurs apprécient les lapins sauvages, qui se trouvent hélas rarement dans le commerce.
Si vous côtoyez les milieux de chasseur et en avez l'occasion, essayez une fois cette recette avec de tendres filets de lapin sauvage.*

Laver et essuyer la poularde. Saler et poivrer.

Cuire le riz à l'eau bouillante salée pendant 15 min, puis l'égoutter. Préchauffer le four à 200° C.

Éplucher les oignons et l'ail et les couper en dés. Les faire étuver au beurre dans une casserole.

Laver les herbes, les ajouter et les faire étuver avec les oignons et l'ail. Sortir le tout de la poêle et mélanger avec les pignons, le fromage, l'œuf, le sel et le poivre.

Mettre cette farce à l'intérieur de la poularde et refermer l'ouverture avec un bâtonnet de bois. mettre la poularde sur une tôle huilée et la cuire au milieu du four pendant 30 min.

Poursuivre ensuite la cuisson à 250° C pendant 30 autres minutes en arrosant régulièrement la poularde avec le jus de cuisson.

Incorporer la farce dans la poularde.

Poularde latine « Primavera »

Temps de préparation : 1 h ½
Valeurs nutritionnelles par portion :

84 g P • 67 g L • 16 g G •
1095 kcal • 4600 kj

Pour 4 personnes

1 poularde prête à cuire
Sel, poivre fraîchement moulu
50 g de riz
1 oignon
1 gousse d'ail
1 c. à. s. de beurre
300 g d'herbes sauvages
30 g de pignons
50 g de parmigiano reggiano
râpé
1 œuf

Mettre la viande dans le fond maigre.

Laisser macérer.

Hacher les herbes.

Bollito misto salsa verde

Temps de préparation : 1 h ½
Valeurs nutritionnelles par portion :
49 g P • 28 g L • 14 g G • 557 kcal • 2339 kj

Pour 4 personnes

800 g de bœuf (gîte, plat de tranche)
200 g de carottes
200 g de céleri en branches
200 g de poireaux
5 oignons
Sel
4 feuilles de laurier
8 grains de poivre
1 botte de persil
1 bouquet de basilic
3 filets d'anchois
2 gousses d'ail
1 c. à. c. de moutarde
2 c. à. s. de câpres
5 c. à. s. d'huile d'olive
2 c. à. s. de jus de citron
Poivre fraîchement moulu

Laver et essuyer la viande. Éplucher et couper les carottes en rondelles. Parer, laver et couper le céleri en rondelles de même le poireau.

Éplucher les oignons et les couper en morceaux. Porter une grande casserole d'eau avec les légumes, le sel, le laurier et les grains de poivre à ébullition, puis laisser macérer pendant 30 min.

Mettre la viande dans ce fond et la laisser mijoter à feu doux pendant 50 min.

Entre-temps laver, secouer et hacher finement le persil et le basilic. Couper les anchois en petits morceaux.

Éplucher et presser les gousses d'ail. Mettre la moutarde avec les herbes, les anchois et l'ail dans un récipient. Ajouter les câpres, puis l'huile en ne cessant pas de remuer. Saler et poivrer et ajouter le citron.

Sortir la viande du fond, l'égoutter et la laisser reposer un instant. La couper ensuite en tranches et servir avec la sauce verte.

NOTE DU CUISINIER

Le bollito misto con salsa verde est un des plats les plus célèbres d'Italie. Ce pot-au-feu du centre de l'Italie est préparé différemment selon les régions. Il peut être cuisiné avec d'autres viandes que le bœuf, du veau, par exemple, ou même de la poule, de la langue de veau, des pieds de porc farcis et de la saucisse à l'ail.

Mélanger le tout.

Incorporer l'huile en remuant.

115

Poularde à la crème et au vermouth

Temps de préparation : 1 heure
Valeurs nutritionnelles par portion :
58 g P • 42 g L • 12 g G • 710 kcal • 2982 kj

Pour 4 personnes

1 poularde d'env. 1,5 kg
Sel
Poivre fraîchement moulu
Poudre de paprika
1 échalote
1 gousse d'ail
200 g de courgettes
1/2 botte de thym
1/2 bouquet d'estragon
4 c. à. s. de beurre
150 ml de vermouth sec
250 g de tomates
150 ml de crème
100 g de copeaux de parmigiano reggiano

Laver et essuyer la poularde. Dégager, puis détacher les cuisses avec un couteau tranchant, lever les blancs de poitrine puis découper la carcasse en partant de la pointe du bréchet et séparer les deux ailes.

Saler, poivrer et assaisonner de paprika les morceaux de poularde. Éplucher les échalotes et les couper en dés. Éplucher et presser l'ail. Préchauffer le four à 220° C.

Parer, laver et couper les courgettes en deux puis en rondelles. Laver, secouer et effeuiller les herbes. Faire étuver les échalotes et les courgettes avec l'ail au beurre dans une cocotte. Ajouter la viande et la faire revenir.

Mouiller avec le vermouth. Ajouter les herbes. Braiser le tout au milieu du four pendant 10 min.

Parer et laver les tomates. Les entailler en croix, les plonger dans l'eau frémissante, puis les passer aussitôt à l'eau froide. Les peler et les couper en quartiers. Mettre les tomates dans la cocotte et laisser mijoter encore 30 min.

Mettre ensuite la crème et laisser brunir le tout pendant 10 min. Parsemer de parmigiano reggiano avant de servir.

Cochon de lait à la romaine

Temps de préparation : 1 h
Valeurs nutritionnelles par portion :
50 g P • 41 g L • 4 g G • 675 kcal • 2838 kj

Pour 4 personnes

1 kg de chair de cochon de lait
5 c. à. s. d'huile d'olive
Sel
Poivre fraîchement moulu
2 gousses d'ail
1/4 de bouquet de sauge
1/4 de c. à. c. de graines de fenouil
200 ml de vin blanc
Feuilles de sauge pour la garniture

Laver et essuyer la viande. L'enduire d'un peu d'huile. Saler et poivrer, puis la couper en tranches.

Éplucher l'ail et le hacher finement. Laver et secouer la sauge et hacher finement les feuilles.

Mettre les graines de fenouil dans le vin blanc. Ajouter l'ail et la sauge. Faire chauffer le vin, y mettre les tranches de viande et laisser mijoter à couvert pendant 45 min. Remuer souvent et ajouter un peu d'eau si nécessaire. Passer le jus à la fin de la cuisson au chinois.

Lier et laisser réduire la sauce avant de servir. Saler et poivrer si nécessaire. Dresser la viande et la sauce sur des assiettes. Garnir avec les feuilles de sauge fraîche.

NOTE DU CUISINIER
En Italie, la viande de porc n'est presque jamais consommée en été mais à l'automne et en hiver. C'est une question de climat et de température, mais pas seulement. La chair d'animaux élevés en liberté étant meilleure, on la mange à la saison où elle plus savoureuse, c'est-à-dire en automne. Les animaux se nourrissent tout l'été d'herbes aromatiques, de baies, de glands ou de champignons qui laissent leur goût dans la chair.

Temps de préparation : 30 min
Valeurs nutritionnelles par portion :

| 53 g P • 25 g L • 18 g G • 559 kcal • 2347 kj |

Pour 4 personnes

4 escalopes de veau de 200 g
Sel
Poivre fraîchement moulu
1 échalote
200 g de cèpes
1 œuf
5 c. à. s. de chapelure
5 c. à. s. de parmigiano
reggiano
2 c. à. s. de beurre clarifié

Escalopes de veau
à la Milanaise

Les cèpes passent pour être les
meilleurs champignons comestibles.
Ils se prêtent parfaitement à être
séchés.

Laver et essuyer la viande.
Saler et poivrer.

Éplucher les échalotes et les
couper en dés. Parer, laver et
émincer les champignons.

Battre l'œuf sur une assiette.
Mélanger la chapelure et le
parmigiano. Rouler la viande
d'abord dans l'œuf, puis dans le
mélange de chapelure et de fromage. Aplatir un peu la panure.

Faire dorer la viande au
beurre clarifié des deux côtés
dans une poêle. Ajouter les échalo-

tes et les cèpes. Faire revenir le tout pendant 5 min.

▌▌ Dresser la viande avec les cèpes et les échalotes sur des assiettes et servir.

NOTE DU CUISINIER

La viande de veau étant une des variétés de viande les plus employées de la cuisine italienne, cette recette s'adapte bien entendu aux coutumes culinaires d'autres régions. Pour l'escalope de veau à la Romaine, on met une tranche de jambon sur les escalopes auparavant salées et poivrées. La viande est ensuite repliée sur elle-même et tenue par des bâtonnets en bois sur lesquels on a embroché une feuille de sauge. Faire revenir dans la graisse et laisser macérer 5 min. Mettre un peu de marsala dans le jus de cuisson. Saler et poivrer. Dresser les es-

calopes avec la sauce sur des assiettes et servir. Un autre apprêt des escalopes de veau est la mode de Parme. Mélanger un peu d'huile d'olive avec de l'ail et du basilic. Saler et poivrer. Badigeonner les escalopes et laisser macérer 3 heures. Mettre ensuite une tranche de jambon de Parme sur chaque escalope et faire tenir avec des bâtonnets de bois. Dorer les escalopes à l'huile de tous les côtés, mouiller avec un peu de vin blanc et laisser macérer 5 min. Enlever la viande, laisser réduire le jus de cuisson, lier avec un peu de crème fraîche et vérifier l'assaisonnement. Dresser les escalopes et la sauce sur des assiettes et servir.

Gigot braisé « Medira »

Temps de préparation : 45 min
Temps de macération : 12 h
Valeurs nutritionnelles par portion :

49 g P • 43 g L • 4 g G • 729 kcal • 3063 kj

Pour 4 personnes

**1 gigot désossé d'env. 1 kg
Sel
Poivre fraîchement moulu
1 brindille de romarin
1 brindille de sauge
1/4 de bouquet de persil
500 ml de vin rouge
2 c. à. s. d'huile d'olive
1 pot-au-feu
3 tomates charnues
Sucre**

Laver et essuyer la viande. Saler et poivrer.

Laver, secouer et hacher finement les herbes et les répartir sur la viande. Ajouter le vin rouge et laisser macérer 12 heures.

Sortir ensuite la viande, l'essuyer avec un papier absorbant et la faire bien dorer à l'huile de tous les côtés dans une cocotte.

Mouiller avec la moitié de la marinade et laisser mijoter 45 min.

Parer et laver les légumes du pot-au-feu et les couper en dés. Parer et laver les tomates, les entailler en croix, les plonger dans l'eau frémissante, puis les passer aussitôt à l'eau froide. Les peler et les couper en dés.

Ajouter les légumes à la viande. Saler et poivrer. Faire braiser encore 20 min.

Sortir la viande, la laisser reposer un instant et la couper en tranches. Faire réduire la sauce. Vérifier l'assaisonnement et ajouter si nécessaire du sel, du poivre et du sucre.

NOTE DU CUISINIER
Si la viande n'a pas été parée par le boucher et que vous devez le faire vous-même, faites-le avec précaution. N'abîmez pas la chair pour que votre gigot ne perde pas de sang et reste juteux.

Mouiller avec la marinade.

Couper la viande en tranches.

Poisson et fruits de mer
– Pesce e frutti di mare –

Le plaisir de manger du poisson commence en
Italie sur le marché.
Les variétés sont si nombreuses que l'on
a l'embarras du choix.
Mais quel qu'en soit l'apprêt, une fois sur l'assiette,
le poisson est un véritable plaisir culinaire !

BOISSON CONSEILLÉE

On essaiera avec cet apprêt de poisson consistant un vin rosé. Nous recommandons un bardolino chiaretto de Vénétie, du lac de Garde. La créativité en cuisine Stimule le palais et met l'eau à la bouche.

Espadon à la Sicilienne

Temps de préparation : 35 min
Valeurs nutritionnelles par portion :

50 g P • 29 g L • 37 g G • 682 kcal • 2865 kj

Pour 4 personnes

100 g de riz, sel
4 tranches d'espadon de 200 g
2 c. à. s. de jus de citron
Poivre fraîchement moulu
1 œuf, 4 c. à. s. de farine
60 g de beurre
125 ml de lait, 125 ml de vin blanc
100 g de pastorella (fromage italien à pâte pressée cuite)
Noix de muscade fraîchement râpée
1 bouquet d'aneth
500 g d'oignons rouges

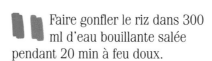

Faire gonfler le riz dans 300 ml d'eau bouillante salée pendant 20 min à feu doux.

Laver, essuyer et citronner les tranches de poisson. Saler et poivrer.

Battre l'œuf et le mélanger au riz. Rouler le poisson d'abord dans 2 cuillères à soupe de farine puis dans le mélange de riz et d'œuf. Aplatir un peu le riz pendant cette opération. Faire revenir le poisson au beurre (30 g) dans une poêle pendant 3, 4 min de chaque côté.

Faire un roux avec le reste de beurre et de farine mouillés avec le lait et le vin. Porter à ébullition en remuant. Couper le pastorella en petits morceaux et le faire fondre dans la sauce. Vérifier l'assaisonnement, Ajouter la noix de muscade. Saler et poivrer.

Laver, essuyer et hacher finement l'aneth et l'incorporer à la sauce. Éplucher les oignons, les émincer et les blanchir dans très peu d'eau bouillante pendant 5 min. Dresser le poisson avec les oignons et la sauce au fromage.

Laver et essuyer les sardines. Les saler et les rouler dans la farine.

Faire revenir les sardines à l'huile dans une poêle pendant 5 min de chaque côté.

Éplucher les oignons et les émincer. Éplucher l'ail et le hacher finement.

Faire chauffer dans une casserole les oignons, l'ail, le vinaigre, le vin, le laurier, le sucre, les olives et les grains de moutarde et laisser macérer 5 min.

Laisser ensuite refroidir et verser sur les sardines. Laisser macérer le tout à couvert pendant deux jours au réfrigérateur. Une tranche de pain noir beurrée accompagne bien ce plat.

NOTE DU CUISINIER
Les sardines peuvent aussi se manger sans sauce, uniquement poêlées. Les citronner alors un peu quand elles sont encore chaudes, les saler et les poivrer avec du poivre de Cayenne.

Faire revenir les sardines à la poêle.

Sardines marinées de Ligurie

Temps de préparation : 40 min
Temps de macération : 2 jours
Valeurs nutritionnelles par portion :

37 g P • 15 g L • 9 g G • 402 kcal • 1689 kj

Pour 4 personnes

750 g de sardines vidées
Sel, 2 c. à. s. de farine
3 c. à. s. d'huile d'olive
4 oignons rouges
4 gousses d'ail
200 ml de vinaigre de vin rouge
250 ml de vin rouge
2 feuilles de laurier
1 c. à. c. de sucre
3 c. à. s. d'olives noires
2 cuillères à café de graines de moutarde

Détacher la tête.

Décortiquer les gambas.

Inciser le dos.

Gambas sauce basilic

Temps de préparation : 2 h
Valeurs nutritionnelles par portion :
50 g P • 11 g L • 10 g G • 466 kcal • 1958 kj

Pour 4 personnes

25 gambas
2 carottes
100 g de céleri en branches
200 g de poireaux
1 l de fond de champignons
200 g de mascarpone
1 c. à. c. d'eau-de-vie de ge-
nièvre
¼ de bouquet de basilic
Sel
Poivre fraîchement moulu

Laver et essuyer les gambas. Détacher la tête et la queue en les tournant entre deux doigts, puis les décortiquer avec précaution sans les rompre.

Inciser le dos de la queue des gambas avec un couteau bien aiguisé et retirer les intestins avec les doigts ou un couteau pointu.

Parer, laver, éplucher et émincer les carottes. Éplucher le céleri et le couper en dés. Parer, laver et émincer le poireau.

Faire chauffer les légumes dans le fond de champignons et laisser macérer à couvert pendant 10 min. Pocher les queues de gambas dans ce fond pendant 8 min.

Entre-temps faire chauffer le mascarpone et y incorporer l'eau-de-vie de genièvre. Laisser réduire un peu. Laver, secouer, ciseler le basilic et le mettre dans la sauce. Saler et poivrer.

Sortir les gambas et les essuyer avec du papier absorbant. Dresser avec la sauce sur des assiettes et servir.

NOTE DU CUISINIER
Si vous aimez le goût particulier du romarin, remplacez dans cette recette le basilic par du romarin. Mais n'en mettez pas trop car le romarin a un goût très prononcé.

Évider.

Mettre dans le fond.

Thon en sauce moutarde au fromage

Temps de préparation : 20 min
Temps de repos : 15 min
Valeurs nutritionnelles par portion :

61 g P • 85 g L • 6 g G • 1113 kcal • 4677 kj

Pour 4 personnes

175 g de mascarpone
250 g de mayonnaise
1 c. à. c. de poudre de moutarde
de
2 c. à. s. de moutarde de Dijon
3 c. à. s. de jus de limette
Sel
Poivre fraîchement moulu
Sucre
330 g de pickles
4 tranches de thon de 250 g
2 c. à. s. de beurre

Mélanger le mascarpone et la mayonnaise jusqu'à obtention d'une pâte lisse et y incorporer la poudre de moutarde, la moutarde et 1 cuillère à soupe de jus de limette. Saler, poivrer et sucrer la sauce.

Égoutter les pickles, les hacher finement et les incorporer à la sauce.

Laver, essuyer et saler les tranches de thon. Les arroser de 2 cuillères à soupe de jus de limette et laisser reposer 15 min.

Les faire revenir au beurre dans une poêle pendant 5 min de chaque côté. Dresser le thon et la sauce sur des assiettes et servir.

NOTE DU CUISINIER
Le thon, que l'on trouve dans toutes les mers, est le poisson préféré des Italiens. Il fait partie de la famille des maquereaux et atteint jusqu'à 3 m de long. C'est un prédateur qui se nourrit de harengs et survient pour cette raison dans les eaux nordiques où se pêche le hareng. Sa chair ferme ressemble à celle de la viande de bœuf et se cuisine comme elle.

Poêlée de poisson toscane « Gabriele »

Temps de préparation : 30 min
Valeurs nutritionnelles par portion :

48 g P • 26 g L • 10 g G • 533 kcal • 2240 kj

Pour 4 personnes

1 kg de chou à feuilles lisses
2 oignons
4 c. à. s. d'huile d'olive
Sel
Poivre fraîchement moulu
Noix de muscade fraîchement râpée
Beurre pour le plat
4 filets de cabillau de 200 g
2 c. à. s. de jus de citron
125 ml de vin blanc
1 feuille de laurier
1 brindille d'aneth
1 citron non traité
6 c. à. s. de pecorino râpé

Parer, laver et couper le chou à la julienne. Éplucher les oignons et les couper en dés. Les faire étuver à l'huile dans une casserole. Préchauffer le four à 250° C.

Mettre le chou dans les oignons et le faire étuver 3 min. Assaisonner de noix de muscade. Saler et poivrer. Beurrer un plat allant au four et le remplir de légumes.

Laver, essuyer et citronner le poisson. Mélanger le reste de jus de citron avec le vin, un peu de sel et de poivre, le laurier, l'aneth et 1/8 l d'eau et porter à ébullition. Mettre ensuite le poisson dans la sauce et laisser macérer env. 5 min.

Sortir le poisson et le placer sur les légumes. Couper des rondelles de citron et les répartir sur le poisson. Parsemer de pecorino. Cuire au milieu du four pendant 15 min.

NOTE DU CUISINIER
Comme toutes les variétés de chou, le chou à feuilles lisses se blanchit seulement quelques instants. Le chou cuit trop longtemps est indigeste.

Temps de préparation : 30 min
Valeurs nutritionnelles par portion :

32 g P • 51 g L • 37 g G • 817 kcal • 3431 kj

Pour 4 personnes

4 filets de dorade de 200 g
3 c. à. s. de jus de citron
4 échalotes
200 g de poireau
4 c. à. s. d'huile d'olive
Sel
Poivre fraîchement moulu
200 ml de vin blanc
1 feuille de laurier
¼ de bouquet de coriandre
300 g de pleurotes
2 c. à. s. de beurre
125 g de noisettes hachées
2 c. à. s. de Xérès
50 g de mascarpone

Filets de dorade sauce pleurotes et noisettes

Les pleurotes poussent sur les arbres dans la nature et se prêtent aux apprêts grillés ou poêlés.

Laver, essuyer et citronner le poisson. Éplucher les échalotes et les couper en dés.

Parer, laver et émincer le poireau. Faire étuver le poireau et les échalotes à l'huile dans une poêle. Ajouter le poisson. Saler et poivrer.

Mouiller le poisson avec le vin. Ajouter le laurier et laisser macérer 15 min.

Laver, secouer et effeuiller la coriandre. Parer, laver et couper les pleurotes en morceaux.

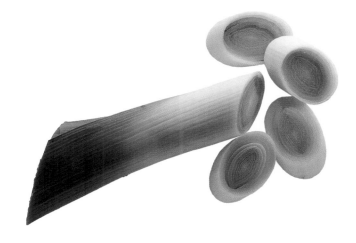

Faire étuver les champignons au beurre dans une poêle. Ajouter la coriandre. Saler et poivrer.

Joindre les noisettes et faire macérer pendant 3 min. Ajouter le Xérès et incorporer le mascarpone. Sortir le poisson et l'égoutter. Dresser ensuite sur des assiettes avec la sauce et servir.

NOTE DU CUISINIER
La cuisine italienne tire depuis toujours profit de la richesse de la mer pour produire un grand nombre de plats très savoureux. Comme le poisson de la Méditerranée ne se trouve pas partout, n'hésitez pas à le remplacer par des poissons de votre région.

Homard « dolce vita »

Temps de préparation : 30 min
Valeurs nutritionnelles par portion :

43 g P • 86 g L • 4 g G • 1068 kcal • 4486 kj

Pour 4 personnes

3 c. à. s. de sel
1 pincée de grains de cumin
2 homards de 700 g
1 bouquet de persil
½ bouquet de basilic
2 c. à. s. de sucre
4 c. à. s. d'huile d'olive
3 c. à. s. de jus de citron
Poivre fraîchement moulu
20 g de truffes en verre

Mettre 2 cuillères à soupe de sel et les grains de cumin dans 4 l d'eau. Porter à ébullition. Mettre les homards dans la casserole, la tête la première. Cuire à feu doux pendant 15 min.

Sortir les homards, les égoutter et les laisser refroidir. Séparer les pinces de la carcasse en les faisant tourner aux jointures.

Séparer la tête et la queue de l'abdomen d'un geste vif. Fendre la carapace abdominale aux ciseaux, l'ouvrir et en retirer la chair sans l'abîmer. Retirer les intestins. Sortir en les raclant avec une cuillère à café l'estomac et le foie.

Ouvrir les pinces avec un couteau. Briser la partie inférieure des pinces et en sortir la chair sans l'abîmer. Réserver au chaud.

Laver, secouer et hacher finement les herbes, puis dissoudre le reste de sel et de sucre dans 50 ml d'eau tiède.

Mettre l'huile d'olive dans un récipient et placer celui-ci dans un bain-marie. Incorporer le jus de citron en battant très énergiquement la solution de sel et de sucre. Poivrer et ajouter les herbes.

Faire des copeaux de truffes et les ajouter à la sauce. Dresser le tout avec la chair de homard et servir.

Détacher la chair de l'abdomen.

Détacher la chair des pinces.

Rougets farcis aux marrons

Temps de préparation : 45 min
Temps de macération : 2 heures
Valeurs nutritionnelles par portion :
41 g P • 38 g L • 51 g G • 803 kcal • 3372 kj

Pour 4 personnes

8 filets de rouget de 100 g
Jus de citron
245 ml de vin blanc
500 g de marrons
1 jaune d'œuf
Beurre pour le plat
Sel
Poivre fraîchement moulu
300 g de mascarpone
¼ de bouquet de persil
½ bouquet de basilic
¼ de bouquet de thym
Feuilles de sauge pour garnir

Laver, essuyer et citronner les filets de poisson. Les laisser ensuite mariner pendant deux heures dans 200 ml de vin blanc.

Éplucher les marrons, les hacher finement et les faire griller dans une poêle sans graisse pendant 3 min. Laisser refroidir et mélanger avec le jaune d'œuf.

Sortir le poisson de la marinade et l'essuyer avec un papier absorbant. Saler et poivrer. Beurrer un plat allant au four. Préchauffer le four à 200° C.

Poser les filets de poisson sur un plan de travail et les recouvrir de marrons. Les enrouler et les faire tenir avec un bâtonnet en bois.

Mettre les filets dans le plat. Mélanger le mascarpone et le reste de vin blanc. Laver, secouer et hacher finement les herbes, puis les incorporer au mascarpone. Saler et poivrer.

Répartir le mascarpone sur le poisson et cuire le tout au four pendant 20 min. Garnir de feuilles de sauge.

Nettoyer le brocoli et en détacher les bouquets. Les blanchir dans une eau légèrement salée pendant 4 min, puis les sortir de l'eau et les égoutter.

Laver et essuyer les gambas et les faire étuver à l'huile dans une poêle. Éplucher l'ail, le presser et l'ajouter.

Mouiller avec le jus de citron et le vin blanc. Saler et poivrer.

Ajouter le brocoli aux gambas et le faire étuver. Laisser s'évaporer tout le liquide. Laver,

secouer et hacher finement le persil et le parsemer sur les gambas juste avant de servir.

CONSEIL
Éplucher finement les tiges du brocoli de haut en bas, puis laver et détacher les bouquets. Entailler le bout des tiges en croix, afin que celles-ci, qui auraient sinon un temps de cuisson plus long que les bouquets, soient cuites en même temps.

Faire étuver les gambas.

Gambas au brocoli

Temps de préparation : 30 min
Valeurs nutritionnelles par portion :

| 48 g P | 13 g L | 11 g G | 414 kcal | 1741 kj |

Pour 4 personnes

750 g de brocolis
Sel
4 c. à. s. d'huile d'olive
12 gambas prêtes à cuire
1 gousse d'ail
2 c. à. s. de jus de citron
125 ml de vin blanc
Poivre fraîchement moulu
1 botte de persil

Brosser les moules.

Les ébarber.

Éliminer les moules ouvertes.

Moules « Mariachiara »

Temps de préparation : 45 min
Valeurs nutritionnelles par portion :
122 g P • 14 g L • 43 g G •
923 kcal • 3879 kj

Pour 4 personnes

4 kg de moules
200 g d'oignons
4 gousses d'ail
2 brindilles de coriandre
2 brindilles de romarin
1 c. à. s. d'huile d'olive
Sel
Poivre fraîchement moulu
800 g de tomates pelées
250 ml de vermouth
1 baguette

Brosser les moules à l'eau froide sous le robinet. Éliminer les coquilles cassées, entrouvertes ou qui ne se referment pas. Ébarber les autres.

Éplucher et émincer les oignons. Éplucher l'ail et le hacher finement. Laver, secouer et effeuiller les herbes.

Faire chauffer l'huile dans un fait-tout et y faire étuver l'ail et les oignons. Ajouter les moules et les herbes. Saler et poivrer. Écraser les tomates avec une fourchette.

Ajouter le vermouth et les tomates et laisser mijoter le tout à couvert pendant 8 min à feu doux jusqu'à ce que les moules se soient ouvertes. Éliminer aussitôt les moules qui ne se sont pas ouvertes.

Vérifier l'assaisonnement et saler et poivrer si nécessaire. Décortiquer les moules et les dresser sans coquilles avec la sauce sur des assiettes. Servir.

Ce plat se mange avec du pain.

NOTE DU CUISINIER
Ne jamais mettre de moules dans un liquide bouillant, mais toujours les réchauffer progressivement. Sous l'effet d'une chaleur trop soudaine, les protéines en coagulant collent à la coquille qui ne peut plus s'ouvrir.
Les mâles ont une chair couleur crème, les femelles sont plutôt jaune-orange, mais mâles et femelles ont le même goût.

Ajouter les moules aux oignons.

Mouiller avec le vin.

Langoustes à l'avocat

Temps de préparation : 45 min
Valeurs nutritionnelles par portion :

36 g P • 17 g L • 5 g G • 350 kcal • 1472 kj

Pour 4 personnes

**4 queues de langoustes
2 c. à. s. de jus de citron
Sel
1 avocat
Beurre pour le plat
Poivre fraîchement moulu
1 bouquet de persil
80 ml de crème**

Laver et essuyer les langoustes. Faire chauffer 2 l d'eau citronnée et salée dans une casserole et blanchir les queues de langoustes pendant 10 min.

Couper l'avocat en deux et le dénoyauter. Couper l'avocat en tranches et le citronner avec le reste du jus de citron.

Beurrer un plat allant au four. Sortir les langoustes de l'eau et les égoutter. Les ouvrir et en détacher la chair. Couper la chair en tranches. Préchauffer le four à 200° C.

Mettre la chair de langouste dans le plat. Saler et poivrer. Laver, secouer et hacher finement le persil et en parsemer les langoustes.

Les superposer de tranches d'avocat. Verser la crème dessus et cuire au milieu du four pendant 20 min.

NOTE DU CUISINIER
Contrairement au homard, la langouste n'a pas de pinces, mais deux longues antennes. La chair la plus savoureuse se trouve dans la queue. Les langoustes fraîches doivent être achetées bien vivantes (elles battent alors fortement de la queue quand on les saisit) et intactes. On les trouve aussi souvent surgelées.

Salpicon de poisson à la Sicilienne

Temps de préparation : 30 min
Valeurs nutritionnelles par portion :

45 g P • 9 g L • 12 g G • 387 kcal • 1627 kj

Pour 4 personnes

**200 g de fenouil
1 botte d'oignons blancs
4 gousses d'ail
3 c. à. s. d'huile d'olive
Sel
Poivre fraîchement moulu
6 filaments de safran
1 bouquet de basilic
200 ml de fond de légumes
2 c. à. s. de jus de citron
200 ml de vin blanc sec
2 filets de cabillaud de 200 g
2 filets de saint-pierre de 200 g
150 g de gambas cuites
100 g de mascarpone**

Parer, laver et couper le fenouil en morceaux. Parer, laver et émincer les oignons. Éplucher les gousses d'ail et les hacher finement.

Faire chauffer l'huile dans une casserole et y faire étuver le fenouil, les oignons et l'ail. Ajouter le safran. Laver, secouer et ciseler le basilic et l'ajouter également.

Mouiller avec le bouillon de légumes et le vin. Laver, essuyer et couper le poisson en cubes. Le citronner et l'ajouter au fond. Laisser cuire pendant 20 min.

Laver et essuyer les gambas et les mélanger au mascarpone. Saler et poivrer et laisser réduire un peu.

Servir avec du pain pita.

Temps de préparation : 30 min
Valeurs nutritionnelles par portion :

43 g P • 35 g L • 12 g G • 587 kcal • 2468 kj

Pour 4 personnes

2 filets de dorade de 150 g
2 filets de mulet de 200 g
1 filet de perche de 200 g
2 filets de sole de 150 g
Sel
2 c. à. s. de jus de citron
Beurre aux herbes pour le plat
375 ml de grappa
2 c. à. s. de beurre
2 c. à. s. de farine
2 c. à. s. de vincotto
1 c. à. s. de martini
Poivre fraîchement moulu
Gros sel de mer
250 ml de crème
Sauce Worcester
1 bouquet d'aneth

Assiette de poisson « Piero »

La perche est un poisson d'eau douce, des eaux stagnantes ou faiblement courantes, de goût très fin.

Préchauffer le four à 250° C. Laver, essuyer et couper les filets de poisson en cubes. Saler et citronner. Beurrer un plat allant au four avec le beurre aux herbes.

Mettre les morceaux de poisson dans le plat et mouiller avec la grappa. Cuire au milieu du four à couvert pendant 15 min.

Préparer un roux avec le beurre et la farine. Mouiller avec le vincotto et le martini et lier avec la crème incorporée en la battant au fouet. Assaisonner de citron, de sauce Worcester et de poivre.

Laver, secouer et hacher finement l'aneth en laissant une feuille pour la garniture et l'incorporer à la sauce. Sortir le poisson du four et le dresser sur des assiettes chaudes. Napper avec la sauce et servir garni d'une brindille d'aneth.

NOTE DU CUISINIER

Le vincotto est un mélange de vin cuit et de moût de raisin utilisé comme épice. Si vous ne disposez pas de cette spécialité italienne, remplacez-la par un mélange de jus de raisin et de vin.

Bar sicilien aux olives

Temps de préparation : 30 min
Valeurs nutritionnelles par portion :

54 g P • 8 g L • 17g KG • 391 kcal • 1644 kj

Pour 4 personnes

800 g de brocoli à pomme (romanesco)
Sel
1 bar (ou un loup) d'un kg
2 c. à. s. de jus de citron
300 g d'olives noires
8 c. à. s. d'huile d'olive
7 c. à. s. de vinaigre aux herbes
1 c. à. c. de moutarde
Sucre
1/2 bouquet de basilic
100 ml de crème
50 g de filets d'anchois
100 g de câpres
Poivre fraîchement moulu
Herbes pour la garniture

Parer et laver le romanesco et en détacher les bouquets, puis le faire blanchir pendant 6 min. à l'eau légèrement salée.

Laver, écailler et vider le poisson, puis le citronner.

Égoutter les olives si vous les avez achetées en pot. Faire chauffer l'huile dans une cocotte et y faire étuver le poisson. Mouiller de vinaigre.

Émincer les olives, égoutter le romanesco et les ajouter au poisson au bout de 4 min de cuisson. Incorporer la moutarde et assaisonner de sucre et de poivre.

Sortir le poisson et le réserver au chaud. Incorporer la crème et les câpres à la sauce. Laver, secouer et ciseler le basilic et l'incorporer également.

Dresser le poisson et la sauce dans un plat et servir garni d'herbes.

NOTE DU CUISINIER
Le brocoli à pomme, ou romanesco, est une variété de légumes intéressante mais nouvelle. C'est un croisement entre le chou-fleur et le brocoli qui a hérité du meilleur de chacun de ces deux légumes : la saveur délicate et la couleur, bien qu'un peu plus claire, du brocoli et la fermeté du chou-fleur.

Écailler le bar.

Vider le poisson.

BOISSON CONSEILLÉE

Le « caffe alla Borgia » se boit à toute heure. C'est un café additionné d'un jet d'eau-de-vie d'abricot.

Poisson à la Toscane sur lit de légumes

Temps de préparation : 45 min
Valeurs nutritionnelles par portion :

45 g P • 8 g L • 5 g G • 310 kcal • 1305 kj

Pour 4 personnes

500 g de céleri en branches
Sel
250 g de tomates
200 g de sauce blanche
100 g de taleggio
30 g d'herbes aromatiques ita-
liennes
Poivre fraîchement moulu
4 filets de morue de 200 g
2 c. à. s. de jus de citron
Beurre pour le plat

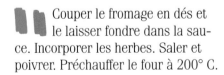

Parer, laver et couper le céleri en rondelles et le faire blanchir pendant 5 min dans de l'eau bouillante salée. Le sortir et le passer sous l'eau froide et bien l'égoutter.

Entailler les tomates en croix, les plonger dans l'eau frémissante et les passer aussitôt à l'eau froide. Les peler et les couper en deux. Pour la sauce, porter 250 ml d'eau à ébullition et y verser la sauce en poudre (si vous l'avez achetée en sachet). Ne pas cesser de remuer.

Couper le fromage en dés et le laisser fondre dans la sauce. Incorporer les herbes. Saler et poivrer. Préchauffer le four à 200° C.

Laver et citronner les filets de poisson. Saler et poivrer. Graisser un plat à gratin et le tapisser de légumes. Poser les filets de poisson sur le lit de légumes et napper avec la sauce. Cuire au milieu du four pendant 30 min.

Laver et essuyer le chou, le couper à la julienne et le faire blanchir dans de l'eau bouillante légèrement salée pendant 4 min. L'égoutter et le dresser sur des assiettes.

Laver, secouer et effeuiller la coriandre. Laver, essuyer et citronner les filets de poisson.

Éplucher les échalotes et les couper en dés. Éplucher l'ail et le hacher finement. Faire chauffer l'huile dans une casserole et y faire étuver les échalotes et l'ail. Ajouter le poisson. Saler et poivrer.

Mouiller avec le vin et laisser macérer pendant 8 min. Parer, laver, égrener les poivrons et les détailler en lamelles. Les faire étuver au beurre. Saler et poivrer et ajouter le bouillon de légumes. Porter à ébullition, ajouter le fromage, vérifier l'assaisonnement de sel et de poivre et servir garni de persil.

Mouiller avec le vin.

Filet de poisson à l'étuvée avec une sauce aux poivrons

Temps de préparation : 40 min
Valeurs nutritionnelles par portion :

25 g P • 35 g L • 16 g G • 562 kcal • 2362 kj

Pour 4 personnes

800 g de chou chinois, sel
¼ de bouquet de coriandre
4 filets de lieu noir de 120 g
2 c. à. s. de jus de citron
1 échalote
1 gousse d'ail
6 c. à. s. d'huile d'olive
Poivre fraîchement moulu
300 ml de vin blanc
2 poivrons rouges
2 c. à. s. de beurre
100 ml de bouillon de légumes
200 g de mascarpone
Persil pour la garniture

Desserts
– Dolci –

Le dessert italien termine avec style
un repas réussi.
Tout est permis : fruits, fromage,
express, grappa, liqueur,
pâtisserie.

Battre les jaunes d'œufs et le sucre.

Incorporer le mascarpone.

Mettre les boudoirs dans le fond d'un plat.

Tiramisu

Temps de préparation : 30 min
Temps de macération : 2 h
Valeurs nutritionnelles par portion :
13 g P • 14 g L • 12 g G • 304 kcal • 1277 kj

Pour 4 personnes

3 jaunes d'œuf
3 c. à. s. de sucre
1 paquet de sucre vanille
1 zeste de citron non traité
350 g de mascarpone
20 biscuits à la cuillère
2 c. à. s. de cognac italien
1 petite tasse d'express
3 c. à. s. de poudre de cacao
Lamelles de zeste de citron
pour la garniture

Battre les jaunes d'œufs avec le sucre au bain-marie jusqu'à obtention d'une crème épaisse et y incorporer en battant le sucre vanillé et le zeste de citron.

Ajouter à la fin le mascarpone. Disposer dans un plat carré une couche de boudoirs constituée de la moitié de la quantité indiquée.

Mouiller ce fond de plat avec le cognac et l'express. Ajouter la moitié de la crème et répéter l'opération jusqu'à épuisement des ingrédients.

Terminer avec une couche de crème et la parsemer de poudre de cacao. Mettre au frais et laisser macérer pendant 2 h. Servir garni de lamelles de citron.

Répartir la crème sur les biscuits.

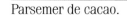

Parsemer de cacao.

149

Triangles de mascarpone « Fiorella »

Temps de préparation : 50 min
Valeurs nutritionnelles par portion :

35 g P • 49 g L • 144 g G •
1213 kcal • 5096 kj

Pour 4 personnes

500 g de mascarpone
4 œufs
325 g de sucre
125 g de beurre liquide
500 g de semoule
1 paquet de levure
Beurre pour le moule
3 c. à. s. de jus d'orange
Amandes effilées pour la garniture

Battre le mascarpone avec les œufs, 200 g de sucre et le beurre jusqu'à obtention d'une pâte crémeuse. Préchauffer le four à 175° C.

Mélanger la semoule et la levure et les incorporer à la crème. Mettre cette pâte dans un moule carré (25 cm x 25 cm) beurré et cuire au milieu du four pendant 45 min.

Faire chauffer le reste de sucre avec 125 ml d'eau et le jus d'orange et laisser frémir 2 min. Arroser le gâteau encore chaud de ce sirop et laisser refroidir.

Couper le gâteau en triangles, le garnir d'amandes et servir.

NOTE DU CUISINIER
Servir avec ce gâteau un amaretto (liqueur au goût d'amande amère) et faire tremper les triangles dans la liqueur avant de les déguster.

Tarte aux poires et au gorgonzola

Temps de préparation : 30 min
Valeurs nutritionnelles par portion :

21 g P • 53 g L • 61 g G • 845 kcal • 3551 kj

Pour 4 personnes

300 g de pâte feuilletée
Beurre pour le moule
1 kg de poires
300 g de gorgonzola
4 c. à. s. de crème
1 œuf
2 c. à. s. de maïzena

Abaisser la pâte et foncer un moule à tarte beurré à fond amovible de 28 cm de diamètre en formant un bord. Laver les poires, les éplucher et les couper en deux. Les épépiner et les couper en quartiers. Préchauffer le four à 200° C.

Écraser le gorgonzola avec une fourchette et bien le mélanger à la crème. Incorporer l'œuf et la maïzena. Étaler la crème de fromage sur le fond de tarte et répartir dessus les quartiers de poires.

Cuire au milieu du four pendant 20 min.

Temps de préparation : 45 min
Valeurs nutritionnelles par portion :
16 g P • 25 g L • 100 g G •
730 kcal • 3066 kj

Pour 4 personnes

4 citrons non traités
6 œufs
150 g de sucre
8 feuilles de gélatine blanche
250 g de Chantilly
8 petites meringues (prêtes à consommer)
Citronnelle et cacao pour garnir

Meringue « mignon » au citron

La citronnelle a la même odeur et la même saveur qu'un zeste de citron fraîchement râpé.

Râper la peau d'un citron et presser les autres citrons.

Séparer les blancs des jaunes d'œufs. Battre les jaunes avec le sucre et le zeste de citron jusqu'à obtention d'une pâte blanche et crémeuse. Incorporer le jus de citron.

Faire gonfler la gélatine puis la dissoudre dans un peu d'eau chaude avant de l'incorporer. Mettre la crème au réfrigérateur jusqu'à ce qu'elle commence à se gélifier. Faire monter les blancs d'œufs en neige, puis fouetter la

crème Chantilly. Incorporer les deux au fouet dans la crème.

Répartir la crème terminée sur quatre meringues et couvrir avec les meringues restantes. Saupoudrer un peu de cacao et servir garni de feuilles de citronnelle.

NOTE DU CUISINIER

Le citron est le fruit du citronnier, vert toute l'année, planté par les Arabes il y a environ mille ans dans le Bassin méditerranéen. Sa pulpe, acide et juteuse, est protégée par une écorce jaune, contenant des huiles essentielles, parfumée, plus ou moins épaisse. Les citrons à l'écorce mince sont plus juteux. Le citron se récolte en Italie trois fois par an. Les indications données par le commerce sur l'étiquette se rapportent à la récolte.

1. Primofioro :	septembre à novembre
2. Limoni :	décembre à mai
3. Verdelli :	juin à septembre

Les limes ou les limettes sont une variété de citron vert à la peau mince et au jus amer. Il sont plus doux au goût que les citrons et sont cultivés en Californie et en Amérique du Sud.

Gnocchis sucrés « *Nicoletta* »

Temps de préparation : 30 min
Temps de repos : 1 h
Valeurs nutritionnelles par portion :
18 g P • 47 g L • 84 g G • 876 kcal • 3680 kj

Pour 4 personnes

2 œufs
250 g de mascarpone
3 c. à. s. de miel
250 g de semoule de maïs
Sel
100 g de beurre
250 g d'airelles en pot
1 c. à. s. de sucre
200 g de crème double
Feuilles de menthe pour la garniture

Mélanger les œufs, le mascarpone, le miel et la semoule. Laisser gonfler 1 heure.

Découper à l'aide de 2 cuillères à café des gnocchis de semoule et les faire pocher dans l'eau salée frémissante pendant 10 min.

Sortir les gnocchis de l'eau, bien les égoutter et les faire dorer dans du beurre chaud.

Mélanger les airelles avec le sucre et la crème double. Dresser les gnocchis avec la sauce aux airelles sur des assiettes. Servir les gnocchis chauds et garnis de feuilles de menthe.

NOTE DU CUISINIER
Les gnocchis ne sont pas de simples boulettes de semoule, de farine, de pommes de terre ou encore de courge, comme à Mantoue, qui ont inspiré la cuisine allemande, austro-hongroise et alsacienne sous la forme de Knödel, de noques ou de Spätzle. Ils sont bien plus un « monument » culinaire national depuis l'époque césarienne à Rome.

Découper les gnocchis à la petite cuillère.

Faire dorer les gnocchis au beurre.

BOISSON CONSEILLÉE

La Sicile possède outre le marsala, d'autres liqueurs, boissons spiritueuses et vins de dessert.
Essayez avec ces tartes aux raisins un malvasia dell Lipari.

Tartelettes aux raisins « Lucrezia »

Temps de préparation : 20 min
Valeurs nutritionnelles par portion :

17 g P • 74 g L • 73 g G •
1094 kcal • 4597 kj

Pour 4 personnes

300 g de raisins mélangés blancs et noirs
250 g de mascarpone
3 c. à. s. de jus de raisin
3 c. à. s. de vin blanc
1 c. à. s. de sucre
8 tartelettes de pâte brisée

Laver le raisin, couper les grains en deux et les épépiner. Mélanger le fromage, le jus de raisin, le vin et le sucre et former une crème lisse.

Napper les fonds de tarte avec cette crème de fromage et répartir les grains de raisin en motifs décoratifs.

Faire une pâte lisse avec la confiture de gingembre et 100 ml d'eau chaude. Ajouter la crème de cassis, le kirsch, le jus de citron et les morceaux de gingembre égouttés. Mélanger le tout.

Incorporer le mascarpone et dresser la crème sur des assiettes à dessert. Garnir de feuilles de menthe et servir.

Incorporer le mascarpone.

NOTE DU CUISINIER
Les confitures de coing et d'orange amère se prêtent aussi, si vous les préférez, à cette recette. Et si vous avez le temps et envie de fabriquer un régal pour les yeux, dressez au même repas des crèmes de différentes couleurs.

Crème de gingembre

Temps de préparation : 10 min
Valeurs nutritionnelles par portion :

| 15 g P • 15 g L • 50 g G • 461 kcal • 1936 kj |

Pour 4 personnes

200 g de confiture de gingembre
2 c. à. s. de crème de cassis
1 c. à. s. de kirsch
2 c. à. s. de jus de citron
500 g de morceaux de gingembre en pot
500 g de mascarpone
Feuilles de menthe pour la garniture

Mélanger les ingrédients dans un récipient.

Battre au bain-marie.

Fouetter jusqu'à obtention d'une crème épaisse.

Sabayon

Temps de préparation : 45 min
Valeurs nutritionnelles par portion :
7 g P • 12 g L • 25 g G • 303 kcal • 1273 kj

Pour 4 personnes

5 jaunes d'œufs
60 g de sucre glace
120 ml de liqueur d'amande
2 oranges
Citronnelle pour la garniture

Mélanger dans un récipient les jaunes d'œufs, le sucre glace et la liqueur et préparer un bain-marie d'eau frémissante.

Battre ce mélange au bain-marie jusqu'à obtention d'une crème épaisse.

Continuer à battre dans un bain-marie d'eau froide jusqu'à ce que la crème soit refroidie.

Répartir la crème dans 4 coupes à dessert et laisser prendre au réfrigérateur.

Peler les oranges et détacher les filets un à un.

Garnir la crème avec les filets d'orange et un peu de citronnelle.

Éplucher les oranges.

Détacher les filets d'oranges.

159